U0265897

规范注册建造师考试
确保注册建造师执业资格制度的健康发展

20多万考生关注的2007年度一级建造师资格考试有了最终"说法"。两名盗卖试卷嫌疑人已被批准逮捕。

2008年12月26日,人力资源和社会保障部办公厅及住房和城乡建设部办公厅再次联合就2007年度一级建造师资格考试成绩处理决定发出公告,对遵守考试纪律,没有违纪违规行为的应试人员,2007年度一级建造师资格考试成绩正常有效。

对查实作弊的应试人员,由相应省(自治区、直辖市)一级建造师资格考试管理部门(机构)按照《专业技术人员资格考试违纪违规行为处理规定》的有关规定进行处理。

对客观雷同试卷和主观雷同试卷,由两部组织专家组分别按照与泄密试卷的答案错同率、相似度和与泄密试卷的答案文字表述高度一致、主要错点相同的原则,制定标准并进行认定,对雷同试卷给予该科目当次考试成绩无效的处理。

考试成绩和具体成绩处理近期由应试人员考试报名所在的省(自治区、直辖市)一级建造师资格考试管理部门(机构)通知应试人员。

2008年12月19日,《建造师》杂志编委会第四次会议在北京召开,会议就《建造师》定位、栏目设置、稿源、发行、国际交流等问题进行了研讨。

编委会一致认为:《建造师》杂志必须服务于广大的建造师群体,首先服务于注册建造师,重点服务于担任建设工程施工项目负责人的注册建造师。围绕提升注册建造师专业知识水平和执业能力,侧重组织有利于提升注册建造师综合组织管理能力和经济管理水平的文章。同时也要兼顾与注册建造师有工作关系的相关单位和读者群体。

2009年度是"建造师执业年",为扩大《建造师》社会影响和提高其知名度,相关栏目将会有所调整:

《建造师》将突出注册建造师综合组织管理能力,重点介绍大型或特大型工程组织管理经验,突出成本管理、质量管理、进度管理、安全管理和合同管理特色;

增加注册建造师沟通和协调能力内容介绍,包括口头沟通和书写能力,注册建造师与业主、设计、监理、材料设备供应商和其他执法部门关系的沟通与协调;

设置主持人(或专家)点评栏目,对有一定分量和紧扣建造师发展历史阶段的重点文章,请专家进行画龙点睛的评价,提高其权威性和可读性;

设置企业或注册建造师专访栏目,为企业或个人提供宣传平台,为打造一支一流注册建造师队伍创造条件,为未来建造大师诞生奠定基础。

我国建造师执业资格制度框架体系已经基本建立,并已进入运行、完善和发展的轨道。为推动我国建造师的国际化进程,拟组织注册建造师和相关人员参加由国际建造师学会发起的"国际建造师论坛"。

2009年度注册建造师论坛主题为"注册建造师执业"。

具体事宜可与《建造师》编辑部联系。

图书在版编目(CIP)数据

建造师 12/《建造师》编委会编. — 北京：
中国建筑工业出版社，2008
ISBN 978-7-112-10560-1

Ⅰ.建... Ⅱ.建... Ⅲ.建造师 — 资格考核—
自学参考资料 Ⅳ.TU

中国版本图书馆 CIP 数据核字(2008)第198884号

主 编：李春敏
特邀编辑：杨智慧 魏智成 白 俊

《建造师》编辑部
地址：北京百万庄中国建筑工业出版社
邮编：100037
电话：(010)68339774
传真：(010)68339774
E-mail：jzs_bjb@126.com
     68339774@163.com

建造师 12
《建造师》编委会 编

*

中国建筑工业出版社出版、发行(北京西郊百万庄)
各地新华书店、建筑书店经销
北京朗曼新彩图文设计有限公司排版
世界知识印刷厂印刷

*

开本：787×1092毫米 1/16 印张：7½ 字数：250千字
2008 年 12 月第一版 2008 年 12 月第一次印刷
定价：**15.00**元

ISBN 978-7-112-10560-1
      (17485)

版权所有 翻印必究
如有印装质量问题,可寄本社退换
(邮政编码 100037)

本社书籍可通过以下联系方法购买：
本社地址：北京西郊百万庄
邮政编码：100037
发行部电话：(010)58934816
传真：(010)68344279
邮购咨询电话：
(010)88369855 或 88369877

《建造师》顾问委员会及编委会

顾问委员会主任：黄 卫　姚 兵

顾问委员会副主任：赵 晨　王素卿　王早生　叶可明

顾问委员会委员(按姓氏笔画排序)：

刁永海	王松波	王燕鸣	韦忠信
乌力吉图	冯可梁	刘贺明	刘晓初
刘梅生	刘景元	孙宗诚	杨陆海
杨利华	李友才	吴昌平	忻国梁
沈美丽	张 奕	张之强	张鲁风
张金鳌	陈英松	陈建平	赵 敏
柴 千	骆 涛	逄宗展	高学斌
郭爱华	常 健	焦凤山	蔡耀恺

编委会主任：丁士昭　缪长江

编委会副主任：沈元勤

编委会委员(按姓氏笔画排序)：

王秀娟	王要武	王晓峥	王海滨
王雪青	王清训	石中柱	任 宏
刘伊生	孙继德	杨 青	杨卫东
李世蓉	李慧民	何孝贵	何佰洲
陆建忠	金维兴	周 钢	贺 铭
贺永年	顾慰慈	高金华	唐 涛
唐江华	焦永达	楼永良	詹书林

海外编委：

Roger. Liska(美国)

Michael Brown(英国)

Zillante(澳大利亚)

2007年度
一级建造师资格考试成绩处理有结果

两名盗卖试卷嫌疑人已被批准逮捕

20多万考生关注的2007年度一级建造师资格考试有了最终"说法"。2008年12月26日,人力资源和社会保障部办公厅及住房和城乡建设部办公厅再次联合就2007年度一级建造师资格考试成绩处理决定发出公告,对雷同试卷的应试人员作出该科目考试成绩无效的处理决定,处理通知书将送达考生本人。

2007年度一级建造师考试于当年9月15日、16日举行,包括3个综合科目和《专业工程管理与实务》科目。考试过程中,网上出现了《建筑工程管理与实务》科目作弊答案,各地人事考试部门在考场中也查获《建设工程项目管理》《建设工程法规及相关知识》《建设工程经济》等3个综合科目和《机电工程管理与实务》《市政公用工程管理与实务》等3个专业科目的作弊答卷,范围涉及30个省、自治区、直辖市。据此,初步判定为涉嫌考前泄密。9月20日,原人事部、建设部联名向北京市公安局报案,其内保局予以立案。由于该案涉及考生多、范围大、情况复杂,2008年5月28日,公安部接手督促涉案省、自治区、直辖市全力侦破。7月16日,成功破案。8月5日,涉案主要犯罪嫌疑人落网。

据公安部门介绍,2007年9月,湖北赛达职业培训学校的谢彬伙同湖北省十堰市人事考试中心工作人员刘克奇,事先预谋,利用职务和工作之便,采取非法手段窃取当年全国一级建造师资格考试试卷。谢彬找人做出答案后通过考前培训及网络传播等方式向外扩散,谢彬、刘克奇从中非法获利达数百万元。

2008年12月19日,人力资源和社会保障部办公厅及住房和城乡建设部办公厅就2007年度一级建造师资格考试成绩处理有关问题发出公告。公告指出:对遵守考试纪律、没有违纪违规行为的应试人员,2007年度一级建造师资格考试成绩正常有效;对查实作弊的应试人员,由相应省(自治区、直辖市)一级建造师资格考试管理部门(机构)按照《专业技术人员违纪违规行为处理规定》的有关规定进行处理;对客观雷同试卷和主观雷同试卷,由两部组织专家组分别按照与泄密试卷的答案错同率、相似度和与泄密试卷的答案文字表述高度一致、主要错点相同的原则,制定标准并进行认定,对雷同试卷给予该科目当次考试成绩无效的处理。

2008年12月26日,人力资源和社会保障部办公厅及住房和城乡建设部办公厅再次联合就2007年度一级建造师资格考试成绩处理决定发出公告。(附后)。

附:关于2007年度一级建造师资格考试成绩处理有关问题的公告

2007年度全国一级建造师资格考试出现泄密事件,目前,案件已经侦破,司法机关正对涉案人员依照有关法律规定追究刑事责任。为严肃考风考纪,维护考试公平公正和应试人员合法权益,对2007年度一级建造师资格考试成绩作如下处理:

对遵守考试纪律、没有违纪违规行为的应试人员,2007年度一级建造师资格考试成绩正常有效。

对查实作弊的应试人员,由相应省(自治区、直辖市)一级建造师资格考试管理部门(机构)按照《专业技术人员资格考试违纪违规行为处理规定》的有关规定进行处理。

对客观雷同试卷和主观雷同试卷,由两部组织专家组分别按照与泄密试卷的答案错同率、相似度和与泄密试卷的答案文字表述高度一致、主要错点相同的原则,制定标准并进行认定,对雷同试卷给予该科目当次考试成绩无效的处理。

考试成绩和具体成绩处理近期由应试人员考试报名所在的省(自治区、直辖市)一级建造师资格考试管理部门(机构)通知应试人员。

人力资源和社会保障部办公厅
中华人民共和国住房和城乡建设部办公厅
二○○八年十二月十一日

关于一级建造师注册有关问题的说明

根据《注册建造师管理规定》(建设部令第153号)和《关于印发〈一级建造师注册实施办法〉的通知》(建市[2007]101号)规定,现将有关问题说明如下:

一、对不符合一级建造师执业资格报考条件,但参加考试取得一级建造师资格证书的人员,不予办理注册手续。

二、一级建造师注册管理系统采用建造师资格前置审查方式,以防止持虚假资格证书人员注册。注册过程中如发现个人填写注册信息有误的,由省级建设主管部门负责审查相关资料原件后,报住房和城乡建设部复核。

三、考核认定取得建造师资格的人员,申请注册时提供的学历证书不低于考核认定时有关学历要求。其中考核认定取得一级建造师资格证书的人员,申请注册时不受专业学历限制;考核认定取得二级建造师资格证书的人员,申请注册时不受学历限制。

四、复转军人办理相关注册手续时须提供居民身份证复印件。军队系统已注册一级建造师人员复员转业后办理变更注册的,参照跨省变更注册办理。

五、初始注册审批不合格人员,其网上注册信息可退回企业,省级建设主管部门负责告知其不合格原因并进行备案。

六、公示期内未提交申诉材料的,省级建设主管部门不再受理逾期申诉。

七、注册一级建造师与聘用企业解除劳动关系后,聘用企业无故不予办理变更注册或注销注册的,注册一级建造师可向省级建设主管部门申请变更注册或注销注册;省级建设主管部门按照《注册建造师执业管理办法》规定,办理变更注册或注销注册。

八、注册建造师跨省变更的,其注册证书和执业印章由调入省收回,调入省负责打印(粘贴)变更防伪贴及更换执业印章。

九、变更注册、增项注册、延续注册均统一使用防伪贴,不得在注册证书上直接打印或涂改。

十、注册证书遗失补办或打印错误等涉及注册证书更换的,省级建设主管部门向住房和城乡建设部建筑市场监管司申请。

十一、执业印章检验码表示印章遗失作废后补办印章的累计次数。办理增项注册、变更注册及延续注册时需更换印章的,其执业印章校验码不变。

十二、一级建造师注册管理系统中的增项注册、跨省变更防伪贴打印、重新注册功能已经开通。其他功能以系统更新时间为准,不再另行通知。

十三、变更注册、注销注册和注册证书、执业印章遗失补办或污损更换的,由省级建设主管部门负责办理,5日内办结并在中国建造师网(www.coc.gov.cn)上备案。

十四、一级建造师临时执业证书的变更注册、注销注册、延续注册等日常管理工作,参照一级建造师注册管理相关规定执行。

住房和城乡建设部建筑市场监管司

二〇〇八年十一月十二日

我国建造师执业资格制度建设的回顾与展望(下)

江慧成

五、目前制度建设和实施情况

从人事部和建设部2002年12月5日联合下发《建造师执业资格制度暂行规定》(人发[2002]111号文),决定在我国境内对建设工程项目总承包及施工管理的专业技术人员实行建造师执业资格制度以来,到2008年,建造师执业资格制度的建设已经走过了六个年头。六年来,国务院建设行政主管部门会同国务院有关专业部门、全国性的行业协会、大型施工企业等单位,创建六项制度(注册、工程规模标准、签章、执业管理、继续教育制度和信用档案制度),六大标准(教育和评估标准、职业实践标准(含职业道德标准)、考试标准、注册标准、执业标准和继续教育标准),取得了显著成效。在法规体系建设、标准制定、考核考试注册和执业实施、制度理论研究和知识宣传推广方面取得了有目共睹的成效。

1.法规体系建设

建造师法规体系建设,是我国建造师执业资格制度建设中至关重要的工作。六年来,国务院建设主管部门组织国务院有关专业部门、全国性的行业协会、省级建设主管部门、大型施工企业等单位,依据建筑法、行政许可法和国务院相关条例,研究制定了建造师制度管理的部门规章和各类配套的规范性文件,初步形成了由相关专业法律法规、部门规章、规范性文件三个层次组成的我国建造师执业资格制度法律法规体系。

目前,已经颁布的重要文件包括:

(1)《注册建造师管理规定》(中华人民共和国建设部令第153号);

(2)《建造师执业资格制度暂行规定》(人发[2002]111号);

(3)《关于建造师专业划分有关问题的通知》(建市[2003]232号);

(4)《关于建筑业企业项目经理资质管理制度向建造师执业资格制度过渡有关问题的通知》(建市[2003]86号);

(5)《建造师执业资格考试实施办法》、《建造师执业资格考核认定办法》(国人部发[2004]16号);

(6)《关于建造师资格考试相关科目专业类别调整有关问题的通知》(国人厅发[2006]213号);

(7)《关于建筑业企业项目经理资质管理制度向建造师执业资格制度过渡有关问题的补充通知》(建办市[2007]54号);

(8)《一级建造师注册实施办法》(建市[2007]101号);

(9)《注册建造师执业工程规模标准》(试行)(建市[2007]171号);

(10)《注册建造师施工管理签章文件目录》(试行)(建市[2008]42号);

(11)《注册建造师执业管理办法》(建市[2008]48号);

(12)《注册建造师施工管理签章文件》(试行)(建市[2008]号；

(13)《注册建造师信用档案管理办法》和《注册建造师继续教育管理办法》已形成了报批稿。

2.标准制定方面

六年来，标准制定方面主要集中在与政府市场准入管理急需的标准上，如考试标准、注册标准、执业标准和继续教育标准等。

在考试标准方面，制定发布了全国统一的建筑工程、公路工程、铁路工程、民航机场工程、港口与航道工程、水利水电工程、矿业工程、市政公用工程、通信与广电工程、机电工程等10个专业的一级建造师《考试大纲》和建筑工程、公路工程、水利水电工程、矿业工程、市政公用工程、机电工程等6个专业的二级建造师《考试大纲》。组织编制、出版了各专业配套的一、二级建造师考试系列用书。

在注册标准方面，制定发布了《一级建造师注册实施办法》，明确规定了注册条件和注册标准。

在执业标准方面，制定发布了建筑工程、公路工程、铁路工程、民航机场工程、港口与航道工程、水利水电工程、矿业工程、市政公用工程、通信与广电工程、机电工程专业的《注册建造师执业工程范围》标准、《注册建造师执业工程规模标准》、《注册建造师施工管理签章文件目录》标准和《注册建造师施工管理签章文件》标准。

在继续教育标准方面，制定发布了注册建造师在注册有效期内接受继续教育的期限、课程设置的种类和学时。研究制定了全国统一的一、二级建造师《继续教育大纲》，组织编制了各专业配套的一、二级建造师继续教育教材系列丛书。

建造师制度的教育评估标准和职业实践标准目前还处于研究阶段，研究的重点是国外，特别是美国、英国等发达国家高等教育教育标准、教育方法等。通过对国外情况的研究，对比我国高等教育情况，制定教育评估标准和职业实践标准。

3.考核考试注册方面

从2004年开始，国家陆续开展了建造师执业资格的考核、考试和注册工作。

截止到2008年11月，共举行了8次建造师执业资格考试，全国共有250万人参加了一、二级建造师执业资格考试。其中取得一级建造师执业资格205654人，取得二级建造师执业资格500430人；临时建造师44198人，一级建造师临时执业资格195042人。

从2007年4月开始，国家和各省(直辖市)启动了一、二级建造师的注册工作。截止到2008年9月，经建设部和省级建设厅(局)批准，全国共有435882人获得注册，其中一级注册建造师146644人，二级注册建造师289238人。

4.执业实施方面

建立建造师制度的最终目标是建造师执业。截止到2008年9月，国家已经颁发了《注册建造师执业管理办法》，出台了14个专业的《注册建造师执业工程范围》标准、《注册建造师执业工程规模标准》、《注册建造师施工管理签章文件目录》标准、《注册建造师施工管理签章文件》标准。以上基础工作为注册建造师开展个人执业提供了政策依据，具备了启动建造师执业的一切条件。目前，北京、上海、江苏、浙江等地已经陆续开展了注册建造师执业工作，在工程投标、施工项目负责人选聘、工程竣工验收等方面，开始考核注册建造师注册资格，行使签字盖章权力。注册建造师执业活动的开展，将随着越来越多具有执业资格的人员获准注册，在全国建筑施工领域内全面实施。

5.制度理论研究方面

几年来，在我国建造师制度创建的过程中，为了使制度的建设更加科学、合理，符合国际惯例，在制定各项规章制度的同时，行业非常注重制度理论的研究和创新。如举办各种层次、规模的建造师制度专题论坛及研讨会，规模和影响比较大的有海南、上海、北京等论坛会议。几年来，举办专题论坛及研讨会，开展专题研究并提交研究成果，其中部级研究课题《中外建造师制度比较研究》今年即可提交研究成果。建造师制度理论的研究，促进了国际间的交流与合作。几年来，组织考察了美国、英国、德国、日本、澳大利亚等建造师制度较为完善的国家，完成考察报告，考察成果不同程度地被采纳。

六、制度建设的设想与展望

建造师执业资格制度的建设是一个庞大的系统工程，需要在市场经济发展和实践的过程中不断地加以补充和完善。

例如，研究制定《注册建造师条例》，以形成完整的建造师法规体系；研究临时建造师后过渡期的政策和措施，以完成原项目经理向建造师制度的平稳过渡；研究教育和评估标准、职业实践标准（含职业道德标准），以形成完整的建造师执业制度标准体系；研究建造师执业岗位的定位和专业划分调整方法，使之更加趋于科学合理；依靠和发挥注册建造师信用体系、信用档案管理系统的作用，研究更加有效的执业监管方法和手段，使建造师执业和签章制度落到实处等等。另外，对注册建造师的执业岗位定位问题，完善执业资格考试，如考试大纲、题库建设、命题专家队伍建设等，继续教育的管理体制等操作层面的问题，二级建造师的制度建设和完善等也要不断地进行研究。

1.制定《注册建造师条例》

六年来，虽然初步形成了由相关专业法律法规、部门规章、规范性文件三个层次组成的我国建造师执业资格制度法律法规体系，但在体系中缺少一部针对建造师制度的国务院法规（条例）。现有部令只能在有限的范围内对制度的实施起指导和约束作用，更大范围内的指导和约束要靠法规（条例）才能解决问题。全国统一的、各个行业及部门共同遵守的法规（条例）是建造师制度建设和健康发展的根本保障，也是今后制度建设的重要内容。

2.制定后过渡期的政策和措施

临时建造师从2008年开始实施，2012年过渡期满。临时建造师也是实行3年一个注册期，一个注册期满后需要接受继续教育，进入第二个注册期。第二个注册期未满时，临时建造师过渡期满，不能继续执业，这就会带来临时建造师的后过渡期的问题。目前临时建造师还未正式执业，一些问题尚未暴露，例如，注册期是三年，三年执业是合法的，三年之后只能执业二年，未完工程执业人员如何签字。

3.制定教育和评估标准、职业实践标准

教育和评估标准、职业实践标准是制度中的重要标准。目前两个标准尚处在研究阶段，特别是教育和评估标准涉及国务院教育主管部门的业务范围，建设主管部门和教育主管部门如何配合、工作机制、具体分工等都要研究和落实。

4.注册建造师执业岗位的定位

目前乃至相当长的一段时期内，我国注册建造师的主要执业岗位仍将是担任大、中型项目施工管理的施工项目负责人。而工程总承包执业岗位的执业管理办法、执业工程规模标准、签字文件种类等尚未制定，作为担任大、中型项目的工程总承包管理的项目负责人执业问题仍需进一步研究。随着建造师制度的不断完善和发展、不同执业资格之间的相互融合，注册建造师能否担任施工项目的技术、质量、安全等其它关键岗位的负责人，乃至从事其它执业活动担任其它职业活动中关键岗位的负责人等也需要进一步研究和完善。

5.专业划分与调整

在专业划分方面，一级建造师原来分14个专业，二级建造师分10个专业。经调整后，一级建造师调整为10个专业，二级建造师调整为6个专业。目前，业内有观点认为建造师专业划分的终极目标应该为2个专业或3个专业，其理由是注册建造师的主要执业岗位是管理岗位，经考核考试取得执业资格证书的人员都具备了执业的资格和管理项目的能力，管理的对象是土建工程和安装工程，设2个专业或3个专业即可以满足岗位的需要。

从我国目前的行政管理体制和各部门所承担的责任角度来看，专业的划分不是一个简单的管理对象问题，不能简单地把它看成仅是专业划分的问题。目前的制度规定建造师要具备某类工程方面的专业理论知识，（如房屋建筑工程、公路工程、铁路工程、水利水电工程、矿山工程等方面的专业基础理论知识），以专业基础理论知识为依托，通过专业考试后从事工程管理等工作。

考试是检验应试者的能力。能力包括掌握专业理论和专业领域知识的能力，按目前专业设定模式考试,如分铁路、水利水电、矿山等专业考试,针对性会更强,检验专业能力的效果也会比较好。按土木工程考试,考试的面宽,针对性差,检验专业能力的效果也比较差。

工程管理对象涉及房屋建筑工程、公路工程、铁路工程、水利水电工程、矿山工程等多个专业领域,每个专业领域各有不同的工程建设标准,如设计规范、开工标准、施工规范、质量验收标准、工程竣工标准等等。这些标准的制定和实施是以专业基础理论知识为基础,如果简单地把房屋建筑工程、公路工程、铁路工程、水利水电工程、矿业工程合并为土木工程,则一是与目前的行政管理体制和部门分工冲突很大,二是需要有统一的土木工程建设标准系列,原有标准需要花时间研究制定和修订,以满足工程的需要。因此,专业调整需要时间和时机。

6.加快信用体系建设

注册建造师信用档案管理系统中包括了注册建造师注册、执业、继续教育和有关行为评价信息,这个系统既有行为的"优良"或"不良"属性及其积累,也有各方关注的其他行为信息,最大限度保证了信息的对称性。保证信息的对称性是避免不诚信行为的最有效手段,而不仅仅是对行为本身进行打分,最大限度避免不诚信行为也是信用体系建设的最终目的。比如建立这样的系统之后,注册建造师在叙述自己注册和执业经历时只能如实表达,就不会有"选优避劣"的可能存在了。

注册建造师信用档案系统是一个多目标的管理系统,有监管功能、统计功能、信用档案管理功能等。因此,注册建造师信用档案今后建设重点仍然是及时、客观、准确和比较全面地采集注册建造师的执业状态,最大限度地保证信息的对称性,促进行业自律和信用体系建设的进一步发展。

注册建造师信用档案系统为政府部门开展注册建造师执业监管提供了客观的、公开的、快速的监管手段。在执业监管方面可以充分利用这个手段,对注册建造师的建造师注册、执业状态、继续教育由静态监管管理变动态监管,由结果管理变过程控制,由地区、专业分割变地区、专业信息共享等,从而对在注册、执业和继续教育等方面存在的问题加以改进。如继续教育需要在继续教育的内容、手段和质量方面进行完善和改进。

7.完善一级执业资格考试

提高考试质量。考试质量不仅是建造师也是所有执业资格考试设立的保证和存在的基础,如果考试质量不能保证,执业资格考试就失去了生命力。为了不断提高考试质量,要不断完善考试大纲。考试大纲是考试的依据,主管部门、行业等要不断对大纲进行调整和完善。

要不断进行题型探索。建造师执业资格考试从开始就参考了其它执业资格考试的题型,对题型的改进和完善工作也一直在进行。从一开始客观题的单选题、多选题和主管观题的案例题,到客观题主观化、主观题客观化,以至所有试题均设实例背景等的探索和应用,都是为提高考试质量进行的不懈努力。要加快试题库的建设,建立建造师执业资格考试题库是建造师执业考试命题改革的目标,从题库选题将会大大降低试题泄密的风险。要不断加强命题专家队伍的建设,命题专家队伍的建设是提高命题质量的重要环节。根据命题专家的年龄结构、知识结构、从业背景以及历年的命题质量等,对命题专家队伍进行不断的调整、补充和壮大,力争建设一支水平高、代表面广的专家队伍。

8.完善二级建造师的考试与执业问题

在二级建造师的考试与执业方面主要存在三个方面的问题需要完善和改进。

(1)二级建造师的统考与流动问题。受原文件规定的制约,全国二级建造师考试在政策方面尚未实行全国统一考试,即便参加了统一试题考试的二级建造师还不能在全国申请注册。这个问题需要从政策层面进行研究并解决。

(2)二级建造师与一级建造师考试的相关性问题。我国目前的一、二级建造师考试是相互独立的,没有互相免考的相关规定。取得二级建造师之后满足什么样的条件,或在补充什么样的条件之后可以成为一级建造师,即所谓的"二升一"的问题。取得一级建造师之后再考另外一个专业的二级建造师,可否免考两个公共科目的问题。在考试方面除前面提到的考试质量需不断提高外，二级建造师考试需要考虑并解决这两个问题。

（3）考试与执业定位问题。二级建造师和一级建造师的考试科目、考试大纲有着较大差别，因此一、二级考试的内容和目标也就不一样。一级侧重于工程项目管理，可承担项目的规模比二级的大；二级侧重施工现场管理，可承担项目的规模比一级的小。但在体现执业定位、实际管理责任与权利的施工管理签章文件目录中，一级和二级是一样的。这说明考试定位与实际执业定位之间存在着较大的差别。

展望我国建造师制度发展趋势，从管理体制层面上来看，英国建造师和美国建造师都是有关行业组织直接进行管理，是否取得建造师头衔不是执业的必要条件。在我国，近期内政府还不可能完全退出对建造师的管理工作。在人才评价方面，英国不进行书面考试，而美国有考试大纲，也进行书面考试，因此近期内我国也不可能完全改变书面考试的方式。总体上来看，我国建造师制度近期的工作重点和发展趋势应该是从我国实际情况出发，加强国际间的交流，吸收国外建造师制度的经验，继续着力解决已经暴露或可能存在的问题，在实践中继续构建和完善我国建造师执业资格制度，不可能也不具备完全照搬某国建造师制度的条件。

通过以上"我国建立建造师执业资格制度的背景，我国建立建造师执业资格制度的必要性、指导思想和原则，我国建造师执业资格制度、特点和主要规定，过渡时期政策与措施，目前制度建设和实施情况，今后制度建设设想与展望"等六个方面情况的介绍，读者可以对我国的建造师制度建设有一个比较全面概括性的了解，加深对有关文件规定的认识和理解。Ⓡ

中德工程管理高级研修班，2009

主题：工程安全管理与最佳实践

德国同济之友协会、达姆斯达特工业大学建筑管理研究所、同济大学工程管理研究所定于2009年8月为中国建筑行业的专业人士及学者举办中德工程管理高级研修班。中德工程管理高级研修班2009的主要目的是介绍德国工程管理的最佳实践，旨在为中国工程管理专业人士增值。

中德工程管理高级研修班2009主题为"工程安全管理与最佳实践"。

目的是为中国建设领域专业人士提供一个学习国外先进经验的平台，促进中国建设行业加速吸收国外先进的建设工程安全管理的方法和最佳实践，以进一步提高中国建设工程安全管理的水平，为工程管理专业人士增值。

主要研修内容包括：

- 欧洲及德国有关建设工程健康与安全的法律；
- 德国有关建设工程健康与安全管理的组织；
- 建设工程业主方的健康与安全责任；
- 建设工程施工方的健康与安全责任；
- 健康与安全的最佳实践——来自建设工程施工方的报告及研讨；
- 健康与安全的最佳实践——来自建设工程业主方的报告及研讨；
- 健康与安全的最佳实践——来自德国建筑工伤保险联合会的报告及研讨；
- 建设工程施工现场考察。

关于中国建筑企业 国际化进程中 技术创新能力的思考

◆姜绍杰

[中国建筑工程(香港)有限公司, 香港]

在中国改革开放二十多年后的今天，中国建筑企业国际化，不再只是建筑业的热门话题，一些大中型的中国建筑企业，正在付诸实施。

一、中国建筑企业国际化

中国建筑企业的国际化背景主要来自经济全球化、企业国际化经营发展的需要、国家战略导向的影响以及中国海外工程业务持续增长等方面。

1.经济全球化是当今社会经济发展的总体趋势

随着经济全球化日益深入和中国加入世界贸易组织（WTO），不仅中国市场将向外国企业全面开放，而且外国市场也将更大程度地对中国企业开放，这无疑将大大加快中国企业的国际化进程。人民币汇率制度改革、人民币持续升值、中国外汇储备较高等状况对行业影响深远，中国企业的海外投资、并购活动方兴未艾，这也决定了中国企业参与海外市场竞争的必要性和必然性。经过二十多年改革开放的积累，中国建筑企业必须尽快融入经济全球化进程。总之，经济全球化已经从根本上改变了企业的生存环境，国际化是中国大型建筑企业生存发展的最终出路。

2.国际化是企业经营发展的需要

企业走国际化的路线，实施"走出去"战略，可以使中国建筑企业更多参与国际竞争，积极开拓国际市场，有利于学习掌握国际同行的先进技术与经营管理模式，引进各种类型的资源，增强企业竞争力。

实施"走出去"战略，以利用两个市场、两种资源作为核心，建筑企业不但可以在国内市场发展，而且可以在更广阔的国际市场中壮大；建筑企业不仅可以充分利用国内的资源，还可以通过"走出去"利用世界范围内的资源。建筑企业自身的发展必须依托全球经济的大背景，在更大范围、更多领域、更高层次上参与国际经济合作与竞争。因此，如何"走出去"，在激烈的国际市场竞争中立于不败之地，这是关系中国建筑产业和建筑企业可持续发展的重大课题。

3.国家战略导向的支持非常重要

对外开放是中国一项长期的基本国策。随着中国经济不断发展，实施战略由"请进来"逐步向"走出去"转变，这是中国政府在深刻洞察国内国际政治经济发展形势的基础上制定的重大战略决策。要增强中国建筑企业的国际竞争力，实现企业和产业国际化，必须培养更多的跨国经营的国际承包商，"走出去"战略有力地催生和培育了中国的国际化建筑业，加速了企业国际化经营步伐。

4.中国海外工程业务持续增长

随着中国实施"走出去"战略步伐加快，对外经济合作业务呈现较快增长态势。在此影响下，中国对外承包工程行业保持了快速发展的势头。2005年中国对外承包工程完成营业额217.6亿美元，同比增长

24.6%;合同额296亿美元,同比增长24.2%。截至2005年12月底,中国对外承包工程累计完成营业额1 357.9亿美元,合同额1 859.1亿美元(商务部网站,2006年)。中国已经出现了一批具有一定国际竞争力的承包企业,根据美国《工程新闻纪录》2005年8月份统计,中国有49家企业进入"全球最大225家国际承包商"行列。

中国大型骨干企业在实施"走出去"战略中表现突出,一些大型建筑承包企业的优势和骨干作用进一步增强,对中国经济和产业加快国际化进程做出了贡献。

二、中国建筑企业国际化进程中的技术创新能力问题

中国建筑企业国际化进程中,也面临许多困难和问题,主要体现在六个方面,即:国际市场占有份额小、国际化管理水平滞后、融资能力不够强、外国市场准入壁垒、国际化人才缺乏和技术差距。

其中,中国建筑企业的技术差距明显。一是对国际通行的技术标准不熟悉。在国际工程承包中,许多国家往往采取英国和美国等发达国家的技术标准,而中国企业对国际通行的技术标准还不够熟悉。二是在一些专业领域仍然存在着技术差距,如机电安装、使用先进设备的大型高难度土木工程等。三是缺乏国际通行的项目管理经验。如石油化工、电力建设等大型国际工程项目往往采用PMC(项目管理总承包)的模式,而中国只是近几年随着外国承包商的进入,才部分参与了PMC方式建设的项目。四是缺乏先进的工程项目计算机管理系统和国际承包市场信息体系。五是缺乏国际采购网络系统和国际采购经验,在项目中标后往往要采用发达国家的材料设备,而中国的机电设备及建筑材料较难进入国际市场。

这些明显技术差距,说明中国建筑企业的技术能力不强,进一步来说,这反映出中国建筑企业的技术创新能力不强。技术创新能力一时难以成为企业的核心竞争能力,在与国际知名建筑企业同台竞争中往往处于劣势,使企业发展缓慢,严重阻碍了中国建筑企业国际化进程。其形成原因较多,也较为复杂,如:企业长期以来重视不够;市场竞争不够规范;

缺乏有效的技术进步与创新激励机制;建筑技术开发和推广应用机制尚不完善;企业技术研发资金和技术人员严重不足,普遍缺少专利技术和专有技术;勘察、设计、施工阶段的技术创新活动相互分离等。

中国建筑企业国际化进程中,加强企业技术创新工作,增强企业技术创新能力,提高建筑科技含量是贯彻落实科学发展观,全面提升建筑业经济效益、社会效益和环境效益,增强企业核心竞争力,应对和参与国际竞争的迫切需要。

三、建筑企业技术创新

党中央提出"以人为本,全面发展、协调发展、可持续发展"的科学发展观是我国全面建设小康社会和实现现代化的根本指导方针,也是思考管理工作的基本出发点。科学发展观要求建筑企业在发展过程中,要统筹兼顾影响企业可持续发展的各个方面。由于技术创新与企业可持续发展息息相关,必须给予应有的重视。

1.建筑业离不开技术创新

近年来,伴随着知识管理的兴起,建筑业的技术创新已经吸引了众多国外研究者的注意,有两种截然相反的观点,第一种观点认为建筑业没有创新,第二种认为建筑业存在创新。第一种观点在20世纪90年代前居主导地位,主要基于建筑业生产组织方式没有变化,研发经费投入少。认为20世纪的建筑业是一个进步缓慢的产业,依然处于手工和劳动密集型阶段,没有发生具有重大经济意义的技术进步。第二种观点虽然认为建筑业存在技术进步,但关于创新的程度和频度则有两种不同的看法。一种看法认为建筑业未来的创新与现存技术不会有突破性的不同。另一种看法认为建筑业正在或将要发生巨大的变化。

有学者对1990年至1999年的10年间中国建筑业劳动生产率的变化情况进行了统计分析,发现以总产值计算的劳动生产率与技术装备率的增长幅度不同,前者明显高于后者。按一般的经济增长理论,劳动生产率的提高完全归功于技术进步,得出这10年间每年的平均技术进步率为10.6%,说明建筑业存在技术进步。

2.建筑业技术创新有两种类型

按建筑业的特点分析,建筑业技术创新可分为产品创新和工艺创新两种。产品创新又包括新建筑物、工程设备的技术改进和新型建筑材料研制。据对中国建筑业统计,除产品形式的新建筑物外,建筑企业主要和重大的技术创新类型是工艺创新。这类技术创新主要以新知识和新工法的形式表现出来。

3.建筑业技术创新组织和管理形式是多样的

据有关研究显示,全球前50名建筑企业都相当重视技术研发和管理工作。在国外建筑企业中,日本普遍设有集中式技术研发机构(以中央研究院为代表);美国建筑企业的技术研发大多为分散式,没有专门的技术研发机构,技术研发分散于工程项目中或外包给专业研究机构;欧洲很少有企业设集中式技术研发机构,也有企业的研发组织是分散式的。日本建筑企业的技术研究院,所研发的项目很多具有战略前瞻和超前性,并广泛深入如环境、电子、生态、海洋、地质、材料等诸多领域。如日本鹿岛公司技术研究院设有五大部门共18个组,另有若干项目团队。

欧洲也有少数企业设有技术中心或专门的技术开发部门。如瑞典的Skanska AB集团,技术中心是集团内部技术知识的第一选择供应者,通过教育和网络增进集团的知识,并着重进行土木工程、建筑设计、环境管理和项目信息网络等方面的研究。再如德国的Hochtief集团,研发部门负责组织和协调集团内的研发活动,如技术创新管理,发起研发项目,研发项目审批,跟踪技术、市场信息和知识转移,研发过程控制,研发成果应用等。

其他地区的建筑企业中,韩国现代建设的技术研究与开发部门下设有音响试验室、风洞试验室、地下隧道试验室、人工气候室、大型结构试验室、材料试验室、地基试验室等14个试验室,其拥有热流测量装置、用于抗震性能测试的震动台、水气密性能测定装置等设备的材料试验室,是韩国最优秀的材料试验室。

4.技术创新管理趋势

因建筑业所涉及的技术创新是多方面的,从上述的例子可以看出:(1)一些大型的国际企业集团非常重视技术研发工作,有的企业经过多年的努力已经形成了一定的技术优势;(2)一间企业所进行的技术研发多侧重某些方面,具有较强的选择性,不可能、也没有能力完成行业内的所有课题;(3)无论是否设有研发机构,这些企业有一点是共同的,都会将部分或全部课题外包或与专业研究机构合作,整合全社会的技术资源;(4)注重跟踪有关的技术信息,了解行业科技动态,以提高企业的技术水平。

四、加强企业技术创新,增强国际竞争能力

近年来,国家非常重视建筑业技术创新工作,总的指导思想是:落实科学发展观,构筑符合市场经济要求的建筑业技术创新机制;通过技术进步与创新,促进建筑业结构调整和增长方式的转变,加快建筑工业化进程,大幅度提升建筑品质,有效节约资源和保护环境,确保安全生产,推进工程建设与建筑业持续、协调、健康、快速发展。到"十一五"期末,建筑业技术创新的主要目标是:基本形成与市场经济相适应的建筑业技术创新体系和工程项目组织管理方式;基本形成工程技术咨询体系和知识产权得到有效保护的技术市场体系;在主要工程技术领域达到国际先进水平,企业的研发能力和信息化水平有较大幅度的提高;培育一批具有国际竞争能力的工程总承包龙头企业,带动一大批中小型专业企业向"专、精、特"方向发展;建筑业科技贡献率提高6%~7%,劳动生产率提高10%。

技术创新是一套系统工程,需要方方面面的配合与努力。为了使技术创新能够落到实处,真正形成企业的核心竞争能力,作为国际化进程中的中国建筑企业,必须从多方面加以保障与完善:

1.健全有效的组织体系是做好技术创新工作的重要前提

要从关乎企业生存发展的战略高度,认真处理好局部利益与整体利益、短期利益与长远利益的关系,对技术创新工作给予高度重视和充分支持。企业应建立由一把手亲任技术创新工作的第一决策者和领导者,以各部门领导作为主要责任人,由技术部门作为统筹执行者,以工程项目为主要载体的技术创

新组织体系。建立健全技术创新运行机制,形成依靠科技支撑发展的良性循环体系。

2.不断完善的管理制度是技术创新工作的根本保证

坚持一切从实际出发,建立、不断完善符合企业技术创新发展需要,保障技术创新活动有序开展的科技管理制度。建立对科技进步指标的考核制度,强化对企业科技进步的责任落实,制定奖罚措施,保障科技创新工作有章可循、有制可依、责任到人、协同发展。

3.合理利用资源、突出工作重点是做好技术创新工作的有效途径

企业在加大资源投入力度的同时,必须合理利用有限的资源,整合全社会优势资源,抓住企业发展中最急需、最关键的环节,围绕重点工作争取重大突破,形成企业核心竞争能力,实现企业的价值增值。

(1)进一步建立以企业专家委员会为主要载体的高端科技决策和技术创新支持平台,充分发挥企业专家的智库作用。

(2)进一步加大生产与科研的结合,引入高校、研究院所的智慧,组织虚拟创新组织,为企业的技术创新提供有力的支撑,增强企业的核心竞争能力。

(3)加强科技创新管理系统的建设。通过完善以虚拟技术中心为核心机构的企业技术创新平台,形成以成果管理为主线,以虚拟组织和项目示范为基础的科技交流、咨询与服务平台。

(4)随时掌握国际上建筑业技术发展状况和趋势,突出自主创新,通过自主创新和集成创新等手段,积极开展工程核心技术和关键技术的研究,多出创新成果,及时申请专利,形成工法,建立技术创新优势,引领企业与行业的发展。

(5)建立跨地域信息科技平台。国际工程承包中,大型跨国建筑企业运用信息技术和现代管理手段,能够以比传统管理手段更高的效率和更低的成本实现全球资源的配置,从而增强在国际市场上的竞争力。

真正的企业信息化是使企业整体的信息化和整体竞争力全面提高。从建筑施工的组织计划到人机料管理,从日常管理到行政文档处理,都纳入一个完整的信息系统。在当今全球建筑市场上,只有那些具

备在全球范围内动员、组织和协调资源能力的企业才能居于领先和主导地位。而信息技术在这方面,在将零碎的建筑市场连接成整体方面,具有其他技术无法替代的作用。通过推进信息化的建设要使我国建筑企业在国际化经营中普遍使用现代信息技术手段,普遍实施网络化、数据化管理、运营,优化企业工作流程和资源配置,全面提高企业生产经营和管理水平,提高企业经济效益和市场竞争力。

4.实施人才战略,为企业的科技创新提供充足的动力与保障

知识经济条件下,人力资源作为创新的主体,具有决胜能力,是企业的核心资源。企业应制定人力资源规划,调整人才结构,加大人力资源培训力度,不断提高人才素质,以满足技术创新对于人才数量及知识结构的要求,以支撑企业不断发展的需要。进一步完善人才激励机制,避免人力资源功能的主动缺失,最大限度地发挥人才的创造力与能动性。

五、结 语

20世纪以来,随着信息时代的到来,建筑科技也日新月异,建筑向着大跨度、超高层、智能化、绿色环保等方向飞速发展。中国建筑企业在国际化进程中,必须健全有效的技术创新组织体系,不断完善技术创新管理制度,合理利用资源,实施人才战略,紧紧依靠科技进步和技术创新,增强企业的核心竞争能力,推动企业的全面、协调、可持续发展。

参考文献

[1]胡勤.现阶段中国建筑企业国际化经营战略浅析.理论界,2007,1.

[2]余来文.中国石化企业国际化经营研究.全球品牌网,2006.

[3]张鲁风.开拓国际市场的思路与对策,2005.

[4]商务部.中国对外承包工程行业概述.商务部网站.2005.

[5]吴贵生等.建筑企业技术中心建设与评价.北京:中国建筑工业出版社,2003.

[6]建设部.关于进一步加强建筑业技术创新工作的意见.建设部网站.

建筑工程劳务费结算兑付深层次问题分析及解决对策

◆ 吕 明

（北京建工集团有限责任公司，北京 100055）

摘　要：针对建筑工程劳务费结算兑付统计中存在的劳务合同覆盖面与实际施工需要不符等问题，本文分析了其深层次原因并提出了解决对策。

关键词：建筑，劳务费结算，兑付，对策

随着我国经济、社会的快速发展，全国各地都纷纷掀起了建设热潮。同时，建设领域相继暴露了许多问题，如招投标、拖欠工程款和劳务纠纷等。尤其是在近几年，总分包之间的劳务纠纷频频出现，特别是由于劳务纠纷而引发的农民工群体事件，更是引起了社会各方的关注。如果处理不好，不仅会给企业带来经济损失，同时也会影响社会的稳定。分析以往劳务纠纷发生的原因和过程，大多数是由于劳务费结算兑付问题而引发的。目前在劳务费结算兑付统计中大量存在劳务合同覆盖面与实际施工需要不符及劳务费结算兑付率低等各种问题，造成劳务费结算滞后或不能真实反映结算情况，给企业决策者带来误区，从而影响企业劳务管理工作的正常开展。本文在调研分析工程项目劳务费结算兑付统计过程的基础上，客观反映劳务费结算兑付中存在的现象和深层次问题并提出解决的思路。

一、典型工程调查分析反映出建筑工程劳务费结算兑付存在的三大矛盾

我们对所属二级公司的单位工程进行了劳务费综合情况调查，对具有典型意义的 17 个单位工程进行了重点分析。17 个单位工程样本的总体情况见附表1。单位工程施工阶段分别为：基础 1 个，结构 5 个，装修 4 个，竣工收尾 6 个，已竣工 1 个。调查分析中发现的三大矛盾是：

1.劳务合同价款额度与实际发生劳务用工费用不相匹配(附表1和附表2)

劳务合同价款总额 18 542.80 万元，实际结算金额 13 549.80 万元，已完成施工但未结算金额 5 105 万元，实际结算量与已完未结量总计 18 654.80 万元，对比劳务合同价款总量的比例：平均值为 1.006：1。其中：超过合同价款总额的有 9 个单位工程，数据比例分布自 1.055:1 起，呈均匀上升曲线，最高点达到 1.698:1。也就是说已经消耗的劳务用工费用大大超出劳务合同价款额度。另外还要说明，以上数据对比并不是实际发生劳务用工与劳务合同规定施工范围相对应，而是对应着劳务合同规定的全部施工范围。换句话说，也就是在本次统计截止期后，还会发生属于劳务合同规定的施工范围内，但已超出劳务合同价款额度。

2.大部分工程存在劳务费"已完未结"现象(附表1和附表2)

劳务费实际结算量与已完未结量总计 18 654.80 万元，其中已完未结量 5 105 万元，占总量的 27.37%，

17个单位工程只有2个未发生已完未结，其他单位工程已完未结量占总量的百分比数值多数处于11%~45%以内，有2个单位工程分别达到了72.96%和100%，反映出劳务费结算大多数存在滞后现象，有个别情况还非常严重。产生这种现象的原因是非常复杂的，其中由于资金严重紧张，影响到部分项目经理对劳务费结算有意或无意的滞后，劳务费结算跟着兑付走，有了钱才结算，付款多少结算多少。

3.从表面看兑付率不低，实则兑付率不高(附表1和附表2)

17个单位工程劳务费付款总额13 423.77万元，对比实际结算总额13 549.80万元，平均兑付率达到99.07%，单位工程最低的兑付率也达到71.15%，表面看来情况不错，兑付率不低。但是，用实际结算量加上已完未结量的总计来衡量劳务费付款，平均兑付率只达到71.96%。如果用这种方法来衡量各单位工程的兑付率，低于65%的就有8个，最低的才达到27.04%，已经构成了产生劳务纠纷的严重隐患。

二、产生劳务费结算兑付统计不实问题的深层次原因

1.人工费预算价格偏低于市场价格

近年来随着居民收入不断上升，劳动力价格已经完全市场化。但根据《北京市建筑工程预算定额》(简称01定额)规定，建筑工程平均人工单价只有31.66元，远低于市场价格。而且01定额仍是目前大多数业主投标组价的依据，在他们看来，这是政府定价，具有政策依据，必须执行。尽管它已经严重背离市场，却仍然在市场上畅行，其结果是造成施工项目人工费亏损。上述17个调查项目人工费亏损达到了60%，用通俗的话说就是，工程还未开工人工费就先亏进去一块，此势必影响项目成本及劳务费结算兑付。

2.垫资施工掩盖了真实的结算兑付差额

建筑市场竞争激烈，近年来一些投资方或开发商利用建筑市场的买方市场地位，要求施工方垫资施工，损害施工企业的利益。笔者认为，建筑市场供求失衡和信用缺失是垫资施工问题产生的直接原因。北京市目前登记在册的有七千多家建筑企业，而北京市2008年在建的工程项目只有三千余个，这样一来，许多建设单位利用"僧多粥少"的机会，在取得开发项目后，不给预付款，要求施工单位垫资施工。调查中发现，垫资施工已成为部分建设单位变相筹措资金的渠道，作为经营手段降低资本成本、转嫁经营风险。这样在一开始，就决定了工程款不能及时到位，施工单位垫支了巨额资金，也就无力向劳务分包企业支付劳务费，有的项目甚至要求劳务企业先行垫资农民工工资，导致了劳务费结算兑付差额，无法反映工程劳务费结算兑付真实状况。

3.甲方拖欠工程款造成资金紧张

多年来，我国固定资产投资经历了高度发展—膨胀—压缩建设规模—解冻—再次高速发展的过程。建安企业不论是任务饱满不饱满，被拖欠工程款的问题始终没有解决。如建设单位资金没有打足，资金不落实就匆匆上马，边干边等，有的建设期间扩大规模，建设资金的缺口就必然转嫁建安企业。若任务不饱满时，为了解决职工吃饭问题，建安企业也硬着头皮答应建设单位的苛刻条件，其结果是工程款被拖欠。建设单位不按期将工程款付给施工企业，造成施工企业资金链断裂，从而使总包企业无法正常对劳务企业结算兑付劳务费。据统计，建设领域拖欠农民工工资，只有10%属于恶意拖欠，其余90%都是因为建设单位拖欠施工企业工程款，导致施工企业拖欠劳务费。所以，农民工工资拖欠是工程款这个债务大链条中的一环，其根源是工程款拖欠。

4.滚动施工掩盖了劳务费拖欠的矛盾

人工费预算价格偏低于市场价格、垫资施工、甲方拖欠工程款等情况严重破坏了施工企业资金状况，势必影响对下游分包企业(工程款)劳务费的供给。由于建筑市场资金紧张由来已久，虽有政府行政主管部门明令劳务费"月结月清"，但确有不少建制队伍在为正常施工生产垫付资金。这种垫付资金的情况以劳务费结算兑付不到位和超范围分包的形式存在着。队伍规模越大，垫付资金的能力越强，垫付金额就越大，也就是说总包企业的欠账越多。当施工任务比较饱满时，可以滚动运作，压力转移，问题不明显。但是，在当前施工任务普遍缩减的情况下，滚动运作难以为继，劳务企业不堪重负，就会逼总包企业还钱，合作关系逐渐恶化，极易引发事端。

三、解决建筑工程劳务费结算兑付深层次矛盾的思考及对策

1.落实摸清和随时掌握我们管辖范围内的所有工程劳务管理情况

提出这个重点工作环节,是针对建筑企业施工现场具有分布广泛和动态变化的特点,也由于企业规模迅速发展的客观情况,决定了企业的劳务管理系统要做到随时掌握所有施工现场劳务管理状况并非易事。我们提出的方法是:在明确各级管理责任的前提下,采用逐级负责的申报备案形式,由各级负责人对工程及劳务分包的基本情况审核把关,逐级上报汇总出来。如发生遗漏或故意瞒报的,尤其对根本不了解工程情况却又发生劳务纠纷的,将严肃追究管理责任。将单位工程劳务管理情况逐级向上备案汇集,辅以生产系统和经营系统提供信息补充,固化成一项管理制度,坚持下去达到全范围动态覆盖的目的。

2.落实责任和加强沟通是前提

(1)落实项目经理作为劳务管理第一责任人的《施工项目劳务管理责任状制度》和劳动力管理员设置与工作职责。

(2)落实各单位(项目部、实体分公司、二级公司)劳务管理组织机构和领导责任。

(3)取得经营系统和生产系统的配合。

(4)畅通的信息沟通渠道。

(5)需要落实和掌握的基本情况(表1)。

需要落实和掌握的基本情况 表1

施工单位	项目经理	劳动力管理员	工程名称	工程地址
建筑面积	结构类型	建筑层数	开工日期	竣工日期
计划自行产值	人工费预算收入	工程形象进度	自行完成工作量	
劳务分包内容	劳务分包企业	建制队长	施工人数	
劳务招投标	劳务合同	劳务费结算	劳务费兑付	劳务费欠款

3.要清点所有工程的劳务分包合同并与分包实际情况进行对照

清点职责管理范围内所有在施工程、已竣未结(劳务费)工程的劳务分包合同。按照工程劳务费总量、实际合同总量、已完估算总量、超范围分包的费用总量进行清点对照。清点对照的方法是:

(1)根据基层上报的需要落实和掌握的基本情况相关内容核对全部劳务分包合同的分包范围和内容,检查是否涵盖了整个工程形象进度所需要的劳务用工。

(2)使用附表1列出的"计划自行产值"和"人工费预算收入"分别计算与全部劳务合同价款总额(扣除扩大分包价款)的比例,对照"工程形象进度"占全部工程完成程度的比例,估算全部劳务合同对单位工程的覆盖程度。

(3)使用"自行完成工作量"计算与全部劳务合同价款总额(扣除扩大分包价款)的比例,对照劳务费一般控制指标(15%),估算全部劳务合同对单位工程已完施工范围的比例,测算已签劳务合同的覆盖面,统计劳务作业执行劳务合同的基本情况和数据,为劳务费结算兑付统计准备合理基础数据。

(4)根据需要落实和掌握的基本情况相关内容清点超范围扩大分包价款,核减劳务合同价款总额,保持人工费数据准确,暴露出可能产生劳务纠纷的问题点。

4.核对检查劳务费结算兑付及欠款情况

(1)基层单位要准确统计劳务费结算的实际情况,实事求是地统计"实际结算金额"和"已完未结金额"这组数据,关键要计算出已完成施工但未结算的劳务费,又称"已完未结"劳务费。这个数据很难掌握,但是非常关键。这组数据向上涉及劳务合同管理内容,向下制约着劳务费兑付。

(2)根据统计报表计算已完未结除以实际结算与已完未结合计所占比例(已完未结率),检查劳务费结算滞后的情况。

(3)根据统计报表计算实结与已完未结总额对比劳务合同价款总额的比例(真实结算率),可以正向检查劳务费的真实结算情况,反向核对劳务合同的覆盖面积。

(4)基层单位要准确统计劳务费兑付的实际情况,真实地统计劳务费"付款金额"。目前,各单位工程对于劳务费兑付基本都是按照实际结算情况进行的,很少超出实际结算额度,"未结先付"的现象非常少见。

(5)根据统计报表计算劳务费付款对比实结加已完未结(实际兑付率)。

(6)根据统计报表计算劳务费欠款金额加上已完未结金额构成真实欠款金额，统计"真实欠款额"对于有准备地筹措资金，应对劳务费紧急兑付，具有十分重要的意义。

5.关于社会层面对于解决劳务费结算兑付问题的思考和建议

在当前建筑市场不够规范、法制不够健全的前提下，一味强调市场主体的自治行为、弱化政府的监管力度，是不利于市场经济的良性发展的。近年来，施工企业原来可获得的利润逐渐被"三个一块"所蚕食，即投招标时压价压掉一块，垫资施工垫掉一块，业主拖欠工程款拖进一块，生存空间日渐狭窄。一旦后续工程跟不上，资金链中断，必将影响到劳务费的结算兑付，由其发展蔓延，后果和危害是显而易见的。要想改变这种现状，建议从以下几方面着手：

(1)修编2001年《北京市建设工程预算定额》，使之与市场价格基本相符。根据了解，广东、天津、福建、四川等省(市)的工程造价部门已经相继调整了人工单价。如果修编有难度或者修编尚需时日，应使每月发布的《北京造价工程信息》具有准确性和强制执行力，或者取消定额单价，只对定额消耗量进行重新测量、调整，价格则完全市场化。

(2)调整政策导向，改变评标原则。应该变"低价"得高分为"合理价格"得高分。当前，"低价中标"带来的种种弊端使其遭到建筑行业的广泛质疑并且已经引起住房和城乡建设部有关领导的关注。住房和城乡建设部总工程师王铁宏就曾指出："国际上的低价中标，其基本前提是设计施工总承包，是设计优化以后的低价中标，而绝不是违背客观规律、不能确保最低成本的低价中标。"在我国建筑市场发育尚不成熟，承包商与业主作为合同双方不能享有同等法律地位的情况下，政府有关部门应该加大调控监管力度，承担起营造公平公正市场的责任。目前尤其应该认真落实《中华人民共和国招标投标法》中有关"投标人不得以低于成本价竞标"的规定，规范业主和咨询公司的行为，应制定一个科学合理的评标标准，对存在垫资施工等具有"霸王"性质的合同，一经发现予以惩处。

(3)建设领域应根据行业特点，制定相应的法规条例，约束市场交易者的失信行为。应规定建设单位

拖欠建筑业企业工程款，致使建筑业企业不能按时结算兑付劳务费的，要追究建设单位的责任；对没有资金来源或资金不落实的项目，业主有拖欠工程款记录、在申请立项和办理规划、施工许可时仍未结清的项目，不得批准立项及办理规划、施工许可。建筑业企业拖欠劳务分包企业分包工程款，致使劳务分包企业不能按时发放农民工工资的，要追究建筑业企业的责任，记入信用档案。建设行政主管部门可依法对其市场准入、招投标资格和新开工项目施工许可等进行限制，并予以相应处罚。建立专门的监管部门，加强对建设、开发项目的监管，严格执行项目资本金制度。

四、实事求是地做好建筑工程劳务费结算兑付工作意义重大而深远

目前我国进城务工人员已达1.2亿多，每3位产业工人中就有2位来自农村。近几年，民工追讨工资已成为社会关注的热点之一。而"业主—建筑商—分包商—农民工"，构成了一条建筑工程款的拖欠链。农民工遭欠薪，只是这一链条中的一环。劳务费及农民工工资问题牵扯到企业的发展、农民工的切身利益和社会的稳定。中共中央、国务院高度重视清理拖欠工程款和农民工工资问题。胡锦涛、温家宝同志先后多次做出重要批示，要求切实维护进城务工农民的合法权益，加强规范管理，标本兼治，建立防止欠款的机制和法规。国务院办公厅下发了《关于切实解决建设领域拖欠工程款问题的通知》，提出了三年内基本解决建设领域拖欠工程款和农民工工资的问题。近年来，为规范建筑二级市场，加强建筑工程劳务管理，国家及地方建设行业主管部门已经颁布了一系列政策法规，其中对劳务费结算兑付工作也提出了更高的要求，劳务费结算兑付作为劳务管理的出口环节显得愈加重要。加强工程劳务的过程管理，细化劳务费结算兑付基础工作的必要性尤为突出。由于后奥运时期京内工程减少，施工企业经营工作面临调整，资金进一步趋紧。劳务费结算兑付问题更加突出，如解决不好将影响企业的发展和社会的稳定。我们必须未雨绸缪，从企业内部劳务费结算兑付统计入手，摸清底数抓好劳务基础管理工作，做到有备无患。同时采取有针对性的措施解决各种矛盾，让农民工利益得到根本的保障，使社会和谐稳定。⑤

工程自开工累计劳务分包经济情况表(万元)

附表1

序号	工程名称	自开工自行完成工作量	劳务合同价款总额	实际结算额	结算额比工作量(%)	付款金额	付款率(%)	欠款金额	已完未结金额	欠款加未结的合计
1	一项目	606.72	114.51	80.00	13.19	80.00	100.00	0.00	34.00	34.00
2	二项目	17 790.99	3 064.49	2 522.85	14.18	2 265.50	89.80	257.35	304.00	561.35
3	三项目	8 190.17	1 474.19	960.00	11.72	960.00	100.00	0.00	757.00	757.00
4	四项目	5 883.45	939.65	984.15	16.73	984.15	100.00	0.00	190.00	190.00
5	五项目	5 470.57	1 728.14	1 620.00	29.61	1 620.00	100.00	0.00	285.00	285.00
6	六项目	9 618.88	2 185.90	2 079.00	21.61	2 079.00	100.00	0.00	320.00	320.00
7	七项目	456.84	35.00	49.00	10.73	49.00	100.00	0.00	0.00	0.00
8	八项目	1 297.00	211.92	202.00	15.57	190.00	94.06	12.00	150.00	162.00
9	九项目	1 629.84	517.85	315.00	19.33	315.00	100.00	0.00	100.00	100.00
10	十项目	3 000.00	677.93	537.66	17.92	460.00	85.56	77.66	200.00	277.66
11	十一项目	2 653.70	646.00	514.54	19.39	366.12	71.15	148.42	70.00	218.42
12	十二项目	1 149.81	402.91	63.00	5.48	63.00	100.00	0.00	170.00	170.00
13	十三项目	19 777.39	3 392.58	2 113.00	10.68	2 113.00	100.00	0.00	1 200.00	1 200.00
14	十四项目	3 050.00	507.43	861.60	28.25	831.00	96.45	30.60	0.00	30.60
15	十五项目	102.87	1 360.65	0.00	0.00	400.00	—	-400.00	1 138.00	738.00
16	十六项目	4 133.50	654.18	563.00	13.62	563.00	100.00	0.00	127.00	127.00
17	十七项目	1 861.97	629.47	85.00	4.57	85.00	100.00	0.00	60.00	60.00
	总　计	86 673.70	18 542.80	13 549.80	15.63	13 423.77	99.07	126.03	5 105.00	5 231.03

工程自开工累计劳务费实际结算率、已完未结率、实际兑付率情况表

附表2

序号	工程名称	实结与已完未结总额对比合同额的比例(真实结算率,%)	已完未结除以实结与应结总额所占比例(已完未结率,%)	劳务费付款对比实结加已完未结(实际兑付率,%)
1	一项目	99.55	29.82	70.18
2	二项目	92.25	10.75	80.14
3	三项目	116.47	44.09	55.91
4	四项目	124.96	16.18	83.82
5	五项目	110.23	14.96	85.04
6	六项目	109.75	13.34	86.66
7	七项目	140.00	0.00	100.00
8	八项目	166.10	42.61	53.98
9	九项目	80.14	24.10	75.90
10	十项目	108.81	27.11	62.36
11	十一项目	90.49	11.98	62.63
12	十二项目	57.83	72.96	27.04
13	十三项目	97.65	36.22	63.78
14	十四项目	169.80	0.00	96.45
15	十五项目	83.64	100.00	35.15
16	十六项目	105.48	18.41	81.59
17	十七项目	23.04	41.38	58.62
	总　计	100.60	27.37	71.96

建筑工程项目招投标管理中的问题与对策

◆ 辛允旺

（河北省秦皇岛市建设工程交易中心，河北 秦皇岛 066001）

摘 要　　投标书划分为技术标与商务标两个部分分别进行打分，并按一定的原则和程序进行评标和定标，从而解决招投标中存在的问题。

近年来，工程建设中出现的质量问题，有着复杂的社会背景和原因，而其中招投标管理不当也是不容忽视的一个重要原因。本文就如何加强招投标管理进行一些阐述。

关键词　　建筑工程项目，招投标管理

自我国建筑行业实行招投标制度以来，对规范行业管理，维护正常的建筑市场竞争机制起到了重要的作用。但随着建筑市场的发展，建筑工程项目的纷繁复杂性进一步增强，建筑工程项目的招投标中出现一些问题，这些问题如果得不到很好的解决，必将危害招投标管理的正常进行。

一、建筑工程项目招投标中存在的问题

1.假公开招标的问题

某些建设单位在招投标前暗中敲定施工队伍后，随便指定几个施工队伍前来投标，制造公开招标的假象；有的施工单位以利益分成、转包工程等好处相许，拉拢其他施工队伍前来作陪衬，以达到自己中标的目的。

2."权力标"及"关系标"问题

少数领导变着手法插手招标工作，越权包办工程招投标；有的招标代理机构等中介组织行为不规范，办事讲人情、讲关系；有的评标人员素质不高，打关系分、感情分；有的存在地方保护主义。

3.投标资质审查中的问题

一些施工企业在资质问题上做手脚，有的出钱购买营业执照和资质等级证书，有的盗用或借用他人证件参加投标。

4.招标单位资格审查不严格

业主在选择投标单位时没有深入实际了解其管

理水平、技术力量、机械装备及信誉等情况,标书编制的好坏在很大程度上代替了施工企业的形象,为此,有些施工企业高薪聘请经验丰富的人员编制标书,从表面上看,标书确实编得不错,实际上根本不具备相应的施工能力和管理水平。

5.业主过分注重标价,施工企业盲目报价

有的业主过分注重将投标报价作为评标的尺度,有些企业就抓住这个特点,在对设计意图、工程面貌和现场情况不是很了解的情况下,为了揽到工程,承诺虚假条件,低价抢标,而业主也没有实事求是地去考察投标单位能否按报价完成任务,结果导致让盲目或有意降低报价的投标单位中标。甚至有些中标单位还不愿意自己去做,而是分包下去自己抽拿管理费,这样层层克扣,若要保证工程质量就根本无利可图。这时,对于讲信誉的施工企业则要通过加强管理、提高工效、节省管理费用等来弥补工程承包资金的不足,然而对于有些承包企业则是以偷工减料的不当手段达到有利可图的目的。另外,过低的标底还会导致上级主管部门审批投资不足、拨款不到位、建设中产生停工待料的情况,从而使一些本该紧密衔接的工程而没有及时施工,从而影响了工程质量,也影响了投资效益的及时发挥。

6.招标中有些未尽事宜没有得到及时处理

招标文件中出现工程量的差错,特别是工程量增加或在施工过程中出现新增的项目,业主对这些增加的投入往往采取打折或回避的方法,甚至采取否定的态度,从而导致承包商在承受这笔难以兑现的工程投入时,便从其他项目中通过减少工、料、机等费用投入予以补偿,也就是人们常说的"羊毛出在羊身上"。

另外,有些承包商本可对招标中的某些未尽事宜向业主提出索赔,然而为了搞好关系却不敢索赔,使明正言顺的赔款变成了偷工减料的不当行为。

二、如何解决招投标中存在的问题

根据以上对建筑工程项目招投标工作中存在的问题的分析,笔者认为在实际工作中应该从以下方面进行改进或完善。

1.加强招投标法规的执行意识,强化执行力度

涉及建筑工程项目招投标的各个主体都要树立自觉执行招投标法律、规章和制度的意识,严禁和杜绝违法行为的发生,各单位还可以通过建立内部控制制度、效能监察等方法和机制来保证法规的执行,维护国家和企业的利益。

2.投标书的划分

业主在招标文件中要明确指出投标单位在编制标书时,应将标书划分为技术标与商务标。技术标包括施工组织设计、投入本工程的机械设备、质量保证体系及安全体系,商务标包括承包商的报价、资格预审资料、承包商资信资料、银行信用资料等内容。

技术标与商务标分开密封,技术标采用两层包装,外层注明技术标,内层空白,商务标随意。

标书划分的目的就是把标书中的硬分与软分区别开来。硬分是客观分,是实实在在的,而软分是主观分。硬分在商务标中,软分在技术标中。对技术标密封保密的要求就是防止打分的评委钻空子,打关系分。

3.签署要求明确

商务标由投标单位的法定代表人或其授权的代理人签署,并将投标授权书附在其内。技术标不用签署,而且不得含有任何能够识别该单位的记号或字样。开标时,先开技术标后开商务标,评标期间不得外显。技术标在开标评分之后,由投标单位的法定代表人或其授权代理人现场签署认证。这样,可使某些有意乱打分的评委从包装内容上辨别不出是哪个施工单位的技术标,而只能从标书的实际内容出发,根据其施工组织设计是否先进合理,质量保证体系及安全体系是否完善进行打分。另外,先开技术标就是在比较公平、公正的条件下,确定人为因素较大的软分,然后再开商务标确定硬分,作为商务标中的分数一般都是比较死的。故在打软分公平的基础上,再加硬分数以确定中标单位。

4.开标、评标、定标过程控制

(1)开标

开标前应首先宣布评标定标办法,然后由招标单位主持,在有关部门的监督下公开进行。先开技术标,根据评标方法对技术标进行打分,即软分确定以后,当众启封商务投标书,唱标,公布标底。若发现商务标中报价在业主标底价的允许幅度之内视为有效标,否则为无效标。

(2)评标

评标就是对技术标及商务标中的工程报价、施工组织管理、工程质量保证措施、施工能力、企业素质及信誉、建设工期等项目进行综合评议和分项打分。评标委员会在保证技术标保密的前提下,首先要根据评标办法对技术标进行打分。否则,有些施工单位知道自己的商务标中的硬分比别人少几分后,很可能通过不正当的手段促使评委给他多打分,以有利于他的报价定标。为了避免由于招投标管理的不完善,给某些人在软分和定标办法上做手脚,在评标时应当注意以下几个方面的问题:

1)对于业主,首先要确定评标办法、定标原则及标价下浮率。

2)对于施工单位,一定要对自己的报价保密,不能向别的施工单位透露,以免他人通过计算得知自己的硬分比不过别人,就千方百计找关系拉软分。

3)送交标书的时间要恰到好处,不能太早也不能太迟,最好是在评标、定标、标价下浮率、技术标打分及商务标报价依次完成后送交。

(3)定标

投标定标过程控制 FIDIC 条款提供的中标价为合理低标,但在国内不一定适用。笔者认为,采取百分制评标法,更能适合国情和建筑工程建设市场的需要。具体做法如下:

1)技术标占 40%。

2)商务标占 60%。

商务标由业主制定基线,每偏离基线1个百分点扣减3分。基准线的确定:首先,由业主委托国家注册造价工程师事务所(建议设立这种机构)按现行预算编制办法编制标底价(A);其次,把标段的承包商报价扣除最高和最低报价后确定平均价 (B);第三,把($A+B$)/2作为平均标底价(C);第四,在 C 价基础上上下浮 $X\%$,作为基准线价。

3)根据基准线确定有效报价,高于 C 价 $X\%$ 和低于 C 价 $X\%$,为无效报价。

4)技术标分数和商务标分数相加为承包商总分,根据分数高低现场确定中标单位。

采用百分制评标有如下优点:①避免承包商联合起来搞标底;②避免报价的偏离,有效控制工程投资;③对标底保密性要求不严,易操作;④减少评标、定标过程中人为因素的影响;⑤业主可以抵制上级单位和领导的干预,避免腐败现象的发生。

5.处理好统一管理与行业管理的关系

建立有形的建筑工程承包市场,必须坚持统一管理和行业管理有机结合的管理体制。一方面,必须坚持维护招投标工作的统一管理,任何行业、部门、单位的建筑工程都要按照有关规定实行公开招标;另一方面,统一管理机构要积极主动地与行业主管部门合作,充分尊重行业工程的特点和行业主管部门的意见,共同抓好建筑工程招投标工作。

6.正确处理好业主责任制与招投标制的关系

根据现有的法规和制度,明确划分建设项目业主和招投标管理部门的责任、权利和义务,落实"建设单位组织招标,多个施工单位参与投标,评标委员会评标定标,招投标机构监督管理"的运行机制,使各方在招投标中既充分依法行使职权,又严格遵守招投标管理法规,互相制约,共同负责,确保招投标工作的正常进行。⑤

重合同 守信用 是企业生存发展之本

分工协作 齐抓共管 做好合同管理工作

王 卫

（中铁建工集团有限公司深圳分公司，广东 深圳 518000）

西方谚语说："财富的一半来自合同"。随着我国加入 WTO，社会主义法治建设的逐步推进，企业依法经营决策问题必将更加突出地显现出来。合同是企业从事经济活动取得经济效益的桥梁和纽带，同时也是产生纠纷的根源。

建筑产品主体的多元化决定了建筑企业合同种类的多样性和内容的复杂性。建筑市场与国际的全面接轨，导致了合同管理的风险性和多变性。在市场经济条件下，合同管理是企业经营管理中最重要的内容。将合同管理处于提纲挈领的地位，其统领全局的重要作用具有不可替代性，而企业自我强化合同管理的要求，则是切实搞好企业合同管理的真正动力和活水源头。

一、合同管理的"四个重点"和"三个环节"

合同管理存在着社会性和内部性。社会性即在市场环境中招投标过程、工程情况、资金到位情况、分包市场、采购环境及利润预测等几方面都是开放式、不确定的。内部性是指即使低标中标的工程也可能是企业赢利的契机，同样一个情况较好的工程项目，不抓好合同签订、分包管理和采购环节，同样也可能将预计的效益失去。

一些国内建筑企业对合同管理的社会性和内部性认识不足，仅停留在狭义的管理上，面对竞争激烈的建筑市场蒙受损失。主要表现：

一是合同意识淡薄，缺乏对施工合同的内容条款认真研究，为后期工程管理和索赔留下隐患；

二是合同执行过程中缺乏对合同分析和有预见性的管理，不能对工程及时地跟踪、动态管理，无法维护企业在合同履行中的权利；

三是针对发包人不规范的市场行为缺乏有效规避合同风险的对策，一旦出现纠纷，无法在最短时间内作出反应，导致企业损失无法挽回。

认识到合同管理的社会性和内部性，对合同管理意义深远。

(一)针对合同的社会性,从管理层面上抓住"四个重点"来推动合同管理工作的落实

1.以工程合同为重点,把好合同管理的入口关

(1)信息评审

☆利用市场情报体系对发包人的信誉、实力、业绩、资信情况进行信息评审;

☆对工程项目的位置、周边环境、销售前景等进行调查、分析、评估;

☆了解工程项目是否已具备签订和实施合同的一切条件,是否具备各类批文;

☆了解工程所在地的社会情况,当地主要材料、劳务市场等供应情况等。

(2)合同评审

合同评审要经过对招标文件、投标书、签约合同评审三个过程,尤其需要注意以下几点:

☆合同中造价的计算方式、付款方式、工期、质量标准是否合理,企业是否有实施项目的能力;

☆合同用词是否准确,有无模棱两可或含义不清楚处,条款是否符合有关法律、法规;

☆及时提出合同中存在的问题,对工程中可能出现的不利情况是否有足够的预见性,对风险是否有周到的考虑及规避措施。

在企业合同评审签约过程中明确不同权限人员的职责,在确保合同评审内容全面的前提下,使企业合同洽谈权限、评审权限和批准权限相对独立,相互制约。合同洽谈人员应负责考察合同对方的主体资格、资信情况、经营范围和履约能力,即合同洽谈人员对合同的真实性和可行性负责;合同条款是否齐全严密、意见表示是否确切、内容是否符合法律和政策的规定,由审查人负责,即合同审查人员对合同的合法性和严密性负责;合同是否予以生效,企业能否依约履行,对企业经营是否有利,由批准人决定,合同批准人对合同的经济利益和风险责任负责。

2.以分承包合同为重点,把好合同管理的出口关

(1)分包合同的签订必须以工程合同为依据,必须满足工程合同要求,工程合同中有关工期、质量、安全、履约保证金等必须在分包合同中进行分解,层层落实。

(2)建立完善的制度,严格分包合同的签订程序;

(3)设立明确的管理标准,层层把关,抓好分包合同的履行。

一是对分包的单价、费用及结算方法建立较为完善的管理标准(如设定分包单价的最高限价、分包结算公司审价原则);二是在施工现场加大对分包工程的施工进度、质量的督促检查,保证合同的顺利履行;三是严把分包合同的结算关,会同施工、安质、材料、核算等部门进行结算会签,对分包结算的工程量实行三级复核制度(即工程师、项目核算人员、公司成本管理部门的审核),层层把关。

3.以工程索赔为重点,把好合同的履约关

做到"五个及时",提高合同履行的主动性,为索赔收集依据,维护企业利益。

(1)应变更合同的要及时变更

强化合同管理人员的主动性和风险意识,及时应对合同变更。

(2)应签证、发函的要及时办理

在履约过程中要及时、有效地发出必要的书函,这不仅是履约的一种有效手段,更是企业进行自我保护的必要招数,加强对签证、洽商、变更的及时办理,对合同履行和维护自身利益相当重要。

(3)应当追究时效的及时追踪

合同中一般都对需要办理相关书面文件的时间进行约定,要求相关人员及时完成本职工作,对有期限约定的条款进行详细研读,认真履行。

(4)应当行使的合法权利及时运用

对于任何一方的违约,对方都有权利进行抗辩及索偿,这是维护企业利益的必要手段。抓住重点,恰当地使用抗辩权利会对合同履行起到良好的作用。

(5)应当收集的法律证据及时办理

从工程开始就注重收集具备法律效力的书面证据是相当重要的,作为有效的书面证据必须是原件,必须与事实有关,必须经过双方签字盖章,必须有明确的内容,必须与合同约定的形式一致,只有这样,到了关键时刻,这些书面资料才能发挥维护企业利益的作用,否则就是废纸一张。

4.以诉讼环节为重点,把好合同管理终结关

建设工程合同在履行过程中出现争议和纠纷是在所难免的,诉讼是解决纠纷的最后手段,诉讼环节

要注意以下几点：

（1）要敢于用法律维护自己的合法权益，在法律诉讼有效期内及时提起诉讼，避免错过法律时效；

（2）从工程开工就做好准备打官司的准备，注意积累和保管好各种相关资料，做到有备无患；

（3）在签订合同时就想好日后发生纠纷怎么办，有意识地选择对自己有力的条款；

（4）在适当的时候采取财产保全措施，保证财产的安全；

（5）为避免法律诉讼时间的风险，应积极选择庭外调节等方式解决经济纠纷；

（6）积极依法采用工程留置并争取优先受偿权，维护企业合法权益；

（7）加强合同履约管理，避免违约行为，从自身方面减少风险。

（二）针对合同的内部性，在过程中抓住"三个环节"，将合同管理融入管理的全过程

1.抓好合同交付环节，提高全员的合同意识

合同签订后，合同管理部门应将招标文件、招标答疑资料、询标纪要、投标书和合同文本对项目进行交底，使项目作为合同的实际执行者和履行者，明确工程的风险、重点和关键问题。

（1）对合同关键内容进行解释、说明，如通过对合同中质量、工期、价款等内容的解释，使项目部每一位成员明确实现这三大合同目标所应做的具体工作，明确不能实现时我们要付出的成本代价等，尤其是和工程价款支付相关的条款；

（2）对重要的工作时间，一一进行说明，提醒项目各部门注意按时间去完成，否则就有产生违约的可能性，或放弃权益。

（3）对合同中程序性、责任性条款逐条进行认真学习，并将合同中通用条款按照项目部个部门进行责任分解，明确各部门应执行的合同条款。

（4）将合同中存在索赔机会的条款逐一列出，使大家明确遇到什么情况可进行工期延长的索赔，什么情况可进行费用的索赔，什么情况既可以进行工期的索赔，又可以进行费用的索赔。

（5）将合同中不利于我方的条款提出，并与项目成员共同探讨对应措施。通过合同交底，强化项目部

每一位成员执行合同的自觉性和主观能动性。

2.抓好合同基础资料管理环节，确保合同管理做到实处

对施工文件资料的产生和申报建立相应的管理制度，为全面收集支持合同的基础资料做好准备，对基础资料及时进行收集、记录、整理、分析、保管、归档，建立详细的台账。

3.抓好履约检查环节，保证合同管理有效进行

履约检查的"三大功能"："信息功能"——能够清晰地反映合同履约中的状况及一般性的问题；"报警功能"--能及时显示出妨碍合同履行的重大问题，产生争议或出现纠纷的现象或隐患等；"修补功能"——针对出现的各种问题能及时提出解决的办法或提出解决的请求，根据职能部门的整改意见进行整改，直到不良因素消失。

履约检查，是合同执行过程中发现问题的唯一途径，它能反映出妨碍合同执行的重大问题或隐患，能通过分析及时提出解决的办法或提出解决的请求，只有在合同履约过程中的定期检查，才能随时发现问题，制定防范风险的对策，从而将合同风险损失降到最小。

二、签订工程合同应该注意的问题

工程合同，不同于普通的经济合同，对于这类合同的管理除了注重合同社会性和内部性管理，加强履行过程的动态监控外，如何在签订合同前将可能的风险降到最低，对以下专业性的内容进行详细约定显得十分必要。通过事前预控，在最大程度上通过合同维护企业的合法权益，也为合同的顺利履行扫清障碍。

（一）关于合同主体的约定

合同主体由发包人和承包人组成，合同签订前搞清楚发包人的完整性与合法性，合同中应完整准确的写明发包人的名称。

（二）关于合同价款如何计算的约定

合同价款是合同目标中双方共同关注的核心和关键。确定的合同价款是建设工程承发包合同必须具备的主要条款，如果签约时合同造价不确定，也不约定确定的程序，则必然潜伏着隐患和危机，潜伏着

争议和纠纷。

1.合同价款的约定方式

是执行固定总价(单价)合同,可调总价(单价)合同还是成本加酬金的方式的合同,区别不同的工程项目有不同的选择。

2.工程量计算依据的约定

明确采用设计资料的范围,工程量的计算规则等。

3.工程计价办法的约定

明确约定采用的定额、取费标准、配套文件、优惠条件及工、料、机的价格水平与调整条件。明确说明不参与造价下浮基数的内容等。

4.设计变更、现场签证计价办法的约定

对可能出现的设计变更、现场签证的计价办法进行详细地约定,做到管理有章可循。

5.施工技术措施费,文明、安全施工措施费的计取办法。

6.总包管理配合费、甲供材料设备的保管费的计取标准。

7.其他费用计价办法(如材料的二次倒运、场外用地租赁费等)。

三、关于办理工程签证、工程索赔的约定

建设工程承发包合同履行过程中往往会碰到工程签证和工程索赔的问题。一份建设工程承发包合同即使签订得再好,签约前考虑的问题再全面,在履约时也免不了要发生根据工程进度过程中出现的实际情况而对合同事先约定事项的部分变更,这些都需要通过工程签证加以确认。同时,合同履行过程中一旦出现一方未能按合同约定支付各种费用、完成一定工作或赔偿损失时,另一方则需要通过工程索赔实现自己的权利。

工程签证和工程索赔是建设工程承包合同得以顺利履行、合同双方利益得以全部实现的最后两道屏障。合同中要对办理工程签证、工程索赔的范围、依据、原则、程序和时效性等进行详细的约定,减少纠纷,维护利益。

四、关于工程质量条款的约定

工程质量条款历来是承发包合同的一个重要

且复杂的条款。在产品质量观念已深入人心的今天,人们对建设工程这一特殊产品的质量意识却远远跟不上时代的客观要求。房地产项目的开发商、承包人、购房人都偏重于从各自的利益出发,从各不同角度关注建设工程的质量问题,但不论从哪一个立场出发看问题,都不能否认:工程质量领域处处渗透、交织着法律问题。承发包合同所指向的工程质量、材料、设备的质量、工程质量意识、工程质量责任,可以说构架成每一幢建筑的每一根钢筋、每一块砖石都充满着法律。由此看来,质量条款的约定具有非常重要的意义。合同中要对工程应达到的质量标准进行明确的约定,力争优质优价。对评价质量标准的责任主体进行界定,须约定当双方对质量等级的确认存有异议时,应由质检主管部门进行裁定,保护承包人的合法权益。

五、关于工程竣工结算确定的约定

工程竣工结算是一项政策性、专业性强且又复杂、细致的建筑技术经济工程。它涉及到建设单位与施工单位的经济利益。然而在建筑市场不断活跃、建筑经济不断发展的今天,在工程竣工结算环节,即结算的方法、程序、期限、效力等方面都没有一部完整的法律、法规,以致目前的建筑市场特别是工程竣工结算这一重要环节缺乏规范化、法制化的管理,从而造成竣工工程难结算、最终造价难确定的立法滞后、执法困难的局面。

对办理竣工结算的时间进行详细约定,从技术部门提交竣工技术资料严格按照合同约定期限和标准入手,解决自身原因造成的竣工结算延期的问题,提高竣工结算的效率。对于工程规模大、资金投入大、周期长的项目要根据实际情况,在合同中约定分阶段结算的条款。

六、关于工程价款支付的约定

新版示范文本第26条约定了工程价款支付的程序、时间,同时也约定了:

(1)发包人拖欠工程款,承包人可据此停工,其责任由发包人承担。承包人在被拖欠工程价款情况下继续施工,视为承包人放弃停工的权利,但不能因

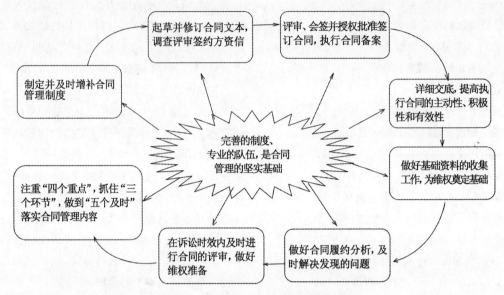

分工协作，齐抓共管，合同管理流程示意图

此免除发包人的违约责任。

（2）发包人未按照约定支付工程价款，承包人可以书面催告发包方在合理期限内支付。

（3）工程变更价款应与工程进度款同步支付。

这里要注意的是在专用条款中有关工程款支付的时间要详细，时间约定不能模糊或者有让发包人可以拖延的字样。

另外，新版示范文本第34.5条约定了发包人不按约定支付工程价款，承包人可以与发包人协议将该工程折价或由承包人申请人民法院将该工程依法拍卖。

因此，合同中须约定预付款、进度款、签证款、结算款及符合合同约定条件的质量保证金、履约保证金、保修金等的支付条件和支付期限。

七、关于工程保修的约定

对项目保修约定明确的保修期限和保修范围。

深圳目前很多工程项目的开发商在工程竣交后的工程保修交物业管理公司进行，因此我们一定要慎重执行工程保修的合同条款，以免将小业主造成的维修责任落在项目承包方，使项目承包方承担大量的保修费用，效益缩水。为此在与物业管理公司签订的工程保修合同中特别强调："如发生维修事宜，必须第一通知我方有关人员达到维修现成，确定维修责任或费用的承担，否则我方不

承担维修责任和相应的费用"。

八、关于合同违约条款的约定

充分和巧妙地利用违约条款，对承包人的违约金承担额要设立担保方式和上限。

九、关于明确各方的责任和相互关系的约定

合同中应具体规定发包方、总包方和各分包方各自的责任和相互关系，在总包合同中应当将各方责任和关系具体化，便于操作，避免纠纷。

十、对不可抗力进行量化约定

双方当事人在合同中对可能发生的风、雨、雪、洪、震等自然灾害的程序应予以量化。如几级以上的大风、几级以上的地震、持续多少天达到多少毫米的降水等等，才可能认定为不可抗力，以免引起不必要的纠纷。

十一、运用担保条件，降低风险系数

在签订《建设工程施工合同》时，可以运用法律资源中的担保制度，来防范或减少合同条款所带来的风险。如施工企业向业主提供履约担保的同时，业主也应该向施工企业提供工程款支付担保。

论施工企业的精细化管理

◆ 柳晓君

（中建六局北方公司，沈阳 110001）

随着行业竞争的不断加剧，精耕细作将成为企业生存和发展的基本条件，保持企业的竞争力将越来越重要，精细化管理是当今社会分工的精细化对现代企业管理的必然要求。

面对越来越多、越来越强的竞争对手，企业做强做大是一个必然的发展方向。虽然影响企业赢利的因素很多，但内部管理依然是一个最重要的因素，如何洞察市场的变化、如何制定对应的方针、如何扩大自己的利润源、如何减少企业的成本等都是可以通过到位的管理来加强的。企业只有不断地深化精细化管理，提高企业的应变能力，规划好每一分钱、用好每一分钱、赚到可以赚到的每一分钱，企业才能健康稳定地发展，才能在未来的竞争中立于不败之地。

精细化管理就是企业追求完美和实现卓越的过程，精细化管理是企业实现基业常青的重要指导思想和管理理论。精细化管理是提升企业整体执行能力的一个重要途径；精细化管理已经成为决定未来企业竞争成败的关键；精细化管理不仅是企业适应激烈竞争环境的必然选择，也是企业成为一个基业常青的"百年老店"的必然选择。因此，作为国内最大的承建商之一的中建企业今后的管理之路无疑是加强企业的精细化管理，打造中建品牌，使企业在激烈的竞争中立于不败之地。

一、目前企业经营管理中存在的弊端

中建总公司虽已成功步入世界 500 强的行列，但企业的经济效益同发达国家的企业相比，还存在着一定的差距，究其原因，主要在于我们管理较落后，即人、财、物不能得到合理的利用，资源浪费，人们缺乏工作的积极性，具体表现：

1.管理规则和制度的制定缺乏可操作性

规则有两层含义：一是程序，二是制度。程序就是教员工按照各自企业的操作程序、步骤，教员工一步步怎样做才能生产出合格的产品，而制度是防止管理人员和职工违犯规则而制定的制度。一个好的规则能够指导员工的工作，使得工作的各个环节联系紧密，有利于提高工作效率。但，目前企业的一些管理规则还停留在改革开放初期的水平，与现实的市场经济发展不相适应，造成制度落后，给管理带来一定的困难。另外，我们的管理制度中可操作性差，多是口号、空话。再者，在制度制定的过程中，多是没有经过实地调查，没有同实际紧密结合，没有科学的依据，没有市场的真实信息，这样的制度制定以后形同虚设。

2.管理方式传统化，忽视管理规则和制度的重要性

中国的传统文化，儒家思想影响了中国的历史，也影响了中国企业的管理文化。在管理的价值目标上我们主要强调义利并重，强调管理的社会义务与道德责任；在管理方法上强调自我管理与教化管理，实行人性化，认为人的行为是受内在信念和情感机制驱动的，倾向于对管理活动进行道德价值的评价，而放弃了严密的组织计划和机械的数字化的控制。

这种看似"两全其美"的管理导向使得义更受重视，而利受轻视，"仁义治天下"，其结果是：有法不依，有章不循，使得企业管理出现混乱、难以理清的局面。实际上，管理是包括组织、决策、控制、激励等基本职能和预测、调研、计划、执行、制度等主要功能的有机体系和过程，制订并执行规章制度是进行管理的一个重要方面。管理者是管理的主体，被管理者是管理的客体，只有两者相互作用和影响，才会形成一个完整的管理过程。

3.缺乏激励和约束机制，造成人才流失

人才是企业管理的灵魂，缺少了人才的企业，势必走不长远。我们在企业管理中，受以前"老思想"的影响，把为企业工作，看作是为企业服务，看作是应该无私的奉献，但这种思想已不适应当代市场经济的热潮。我们的制度中，大多没有融入现代的管理方式，或是没有结合自己的实际情况制定相应的制度，缺乏绩效考核系统，没有有效的对人才的激励和约束机制，造成人员流动性大，流动频繁，制约企业的发展。

4.企业发展战略欠缺，制约企业发展

市场竞争是激烈而残酷的，也就要求企业不能固步自封，必须谋求发展，必须有长远的发展战略。

企业因没有发展战略而破产的典型是美国的王安电脑公司破产案。有"电脑大王"之称的王安博士，是现代计算机内存储器的发明人，创立电脑公司并迅速发展，其本人也曾一度跻身美国富豪榜，并名列前茅。但是王安博士始终坚持"现代社会发展变化如此之快，随随便便预测几年以后的事情是很愚蠢的"观点，不去谋划企业的长远战略，只制订两三年内的计划，以致无法应对市场的变化，最终导致诺大的一个企业破产。从此可以看出，发展战略对一个企业来说是多么重要。

我们有些管理人员就缺乏这种战略性的眼光，只把精力放在眼前的事物上，不去管外界大环境的变化及未来可能发生的变化，这样即使一段时间内获得了较好的收益，但他会像流星一样，转瞬即逝。

5.企业的执行力欠缺

"赢在执行"是一个陈旧却新鲜的话题。说其陈旧，是因为这个道理似乎高、中、基领导无人不晓；说其新鲜，是因为执行不力而造成任务失败的例子周而复始。一个没有好的执行力的企业，永远不是个优秀的企业。没有好的执行力，就会造成政令不达，管理体系紊乱，企业经营管理混乱的局面。没有执行力的企业，就没有竞争力。我们在管理中，常常发现"下级应付上级检查、上级检查走马观花"的社会现象在人们的心中由来已久，有人甚至对考核、检查的字眼持怀疑和不理的态度。所以，在执行的过程中，员工到底是在认真执行，还是在走马观花，还是在应付了事，什么样的动机都有可能存在。

二、精细化管理的组成

精细化管理是一个全面化的管理模式。全面化是指精细化管理的思想和作风要贯彻到整个企业的所有管理活动中。它包含以下几个部分：精细化的操作、精细化的控制、精细化的核算、精细化的分析、精细化的规划。

精细化的操作：是指企业活动中的每一个行为都有一定的规范和要求。每一企业的员工都应遵守这种规范，从而让企业的基础运作更加正规化、规范化和标准化，为企业的拓展提供可推广性、可复制性。

精细化的控制：是精细化管理的一个重要方面。它要求企业业务的运作要有一个流程，要有计划、审核、执行和回顾的过程。控制好了这个过程，就可以大大减少企业的业务运作失误，杜绝部分管理漏洞，增强流程参与人员的责任感。

精细化的核算：是管理者清楚认识自己经营情况的必要条件和最主要的手段。这就要求企业的经营活动凡与财务有关的行为都要记账、核算。还要通过核算去发现经营管理中的漏洞和污点，减少企业利润的流失。

精细化的分析：是企业取得核心竞争力的有力手段，是进行精细化规划的依据和前提。精细化分析主要是通过现代化的手段，将经营中的问题从多个角度去展现和从多个层次去跟踪。同时，还要通过精细化的分析，去研究提高企业生产力和利润的方法。

精细化的规划：是容易被管理者忽视的一个问题，但精细化规划是推动企业发展的一个至关重要的关键点。企业的规划包含有两个方面：一方面是企业高层根据市场预测和企业的经营情况而制定的中远期目标，这个目标包括了企业的规模、业态、文化、管理模式和利润、权益等；另一方面是企业的经营者根据企业目标而制定的实现计划。所谓精细化的规划则是指企业所制定的目标和计划都是有依据的、可操作的、合理的和可检查的。

三、精细化管理是提升企业管理水平的必经之路

精细化管理适应现代企业管理需要，推进精细化管理，促使企业完成管理从随意化到规范化的转变；由经验型管理到科学型管理的转变；从外延式增长向内涵式增长的转变；从机会型企业向战略型企业的转变；从粗放型经营向精细化管理转变。

1.推进精细化管理，可以实现企业的长治久安

通过精细化管理，严格细化质量标准，建立"纵到底、横到边、事事有人管、人人有专责"的岗位标准和操作标准，能够使各项精细化的管理渗透到每一个管理环节的"缝隙"，使得不同岗位的员工按照各自标准操作，减少了工作盲目性和随意性，避免了盲目和随意造成的诸多安全隐患。另一方面，"隐患出于细微"，特别是建筑企业，每一丝细微之处，都可能构成较大的安全威胁，而精细化管理则是通过对每个细小环节的管理，及时查堵漏洞、及时解决问题，大到一个工程，小到一颗螺栓、一根木板，都要根据标准要求，进行严格管理，从而把安全隐患消灭在萌芽状态，确保实现长治久安。

2.推进精细化管理，可以实现企业的高效

推行精细化管理是从大局角度出发，按照系统优化的总体思路，严格控制过程生产，要求控制现场生产的每一道工序，为每一道工序制定标准并使每一道工序结果符合规定的标准，使每一项责任落实到每一个人，使得整个管理环环相扣，责任明晰，促进了企业生产效率的提高；严格企业的成本管理，制定目标成本，创新工作方法，激励与约束机制并行，发现人才，从而提高企业的利润，实现企业的高效率增长。

四、企业精细化管理的具体措施

精细化管理是通过精确定位、合理分工、细化责任、量化考核等方式，使系统的各道工序和各个环节规范清晰、有机衔接，从而建立制衡有序、管理有责、高效运行的内部管理系统。只有将企业管理真正做到细化、量化、流程化、标准化、协同化、严格化、实证化才能真正的精细化。

1.制定严密的工作管理制度，保持制度相对稳定和权威性

完善管理制度，分工要明确，职责要清晰，奖罚要严明。在职权分配上既要全面覆盖，又要避免交叉而造成工作中出现扯皮推诿现象。公司制定的奖罚制度，应一视同仁严格执行，不可因人而异、因事而变。管理层次要明晰，可以越级检查，但不能越级指挥；可以越级申诉，但不能越级汇报。当然，特殊性情况发生时可以越级指挥，要说明原因，事后还应宣布权力交回，否则，会造成管理混乱，使实施人不知道该听谁指挥，该如何做。所有决策行为都要以企业已经制定的规章办法、制度为准，做到言而有信，言出必行，才能树立企业领导的威信。另外，管理制度可以适时调整，但也要保持相对稳定。

2.制定适合企业自身发展的战略规划

现代社会发展快，竞争激烈，每个企业都可能被淘汰，因此现代企业必须重视发展战略的管理。制订企业的发展战略，包括中长期发展目标、发展策略，扩张手段方法。可以借鉴国内外经验，如张瑞敏先生的"吃休克鱼"理论，利用自己的管理资源兼并一些企业，实现低成本扩张。但发展战略的制订一定要符合自身企业发展的客观情况，要符合企业发展的外部环境，脱离实际的战略发展，就是纸上谈兵，百无一用。发展战略一旦制定，就应写进企业的章程或决议文件，保持其纲领性、方针性地位。并将战略目标分解为短期计划，逐步实施。随着市场环境、内外部条件的变化，发展战略必须适时进行调整，保证其可行性，达到指导企业发展的作用。

3.加强企业文化建设

保险业需要"攻坚"文化，服务业需要"微笑"文化，而对于实施精细化耕耘的企业，则需要培养勇于

"挑战极限"的文化和"不折不扣"的执行文化。企业可以根据实际需要，分阶段、分层次地围绕这两种文化主题展开多种形式的活动，培养精细化耕耘的土壤。企业文化是企业的精神，是企业员工共同奋斗的目标。打造强势企业文化，用文化留住人才，吸引人才，增强企业的市场竞争力。

4.以人为本，发展企业实力

人才是企业发展最根本的条件和基础，人才是企业无形的财富，企业必须以各种方式去吸引人才、培养人才，挖掘内部人才潜力，同时要依据"人本原理"、"能级原理"安排使用人才，做到人尽其用。在人才培养方面，企业可通过教育、学习、训练的途径提高员工的科学文化素养，开发劳动者的智慧，为技术革新献计献策，为企业未来的发展储备人才。据日本研究，工人教育水平每提高一个年级，技术革新者的比例平均增加6%；工人提出技术革新建议一般能降低成本5%，而科技人员的建议一般能降低成本10%~15%，特别是受良好教育的管理人员推广现代管理科学方法和技术，可降低成本高达30%以上。二是通过加大对员工的激励约束力度，通过福利制度、晋升制度等奖励方法来吸引人才。

5.建立严格的执行系统

执行力的好坏，直接影响企业精细化管理的效果。我们必须强化员工的意识，特别是基层领导的意识，通过学习、考核等强制措施将以下几个要点在他们的脑海中打上烙印。第一，布置不等于完成。人们往往有一个误区：只要方案好，其他问题就不用多考虑了。试问：把一个好的方案放在抽屉里，它会自动生效吗？答案显然是：不能，它必须要借助于不折不扣的执行。布置完成以后，执行者是否就能立刻弄清执行的意图、要点、方法、步骤、技巧等，这还需要一个过程，较为复杂的执行更需要示范、演练、指导等。真正到了执行的时候，会遇到什么障碍，该如何去解决等还是未知因素。竞争、复杂的社会环境中，任何事情并不可能处在一种理想的"真空世界"。第二，严格是保障。精细化是市场竞争的产物，形象地说，执行者就像电子游戏中的主角，除了要战胜对手、虫兽的攻击，还须跨越火山、沟壑等自然障碍，没有较强的执行力，执行的效果定会大打折扣，甚至根本就执行不下去。管理中，

上纲上线是从情理的角度看问题，严格与否是从事理的角度看问题，只要有人开绿灯，就一定有人会效仿。这样的执行，从开始到结束，执行就会递减式地打折，最后，干脆就不执行了。所以，执行必须要严格，对于执行力不强的员工，可以通过培训、示范、演练、指导等方式进行提升，使其达标。对于顽固不化的害群之马，绝对不能姑息。第三，过程控制是关键。过程的控制应该重点考虑如下几件事情：第一件事情，将执行者进行分组，缩短管理的宽度。如八个人一个小组，并由一名德才兼备、有威望的员工担任小组长。小组长负责监督、指导各组员的执行工作，并直接对上司负责(管理的长度也要缩短)。第二件事情，加强执行过程的跟踪。小组之外可设立监事数名，专门负责对各小组执行过程进行抽查、慰问和指导，对个别小组可采取反复突击检查的行动。第三件事情，加强执行的反馈。各小组对执行过程必须如实地进行总结和汇报，对遇到的问题要求及时反馈。第四件事情，立竿见影、赏罚分明的措施。执行优秀者，当场就奖，可以树立榜样，激励众人。执行不力者，当场就罚，可以引以为戒，防患未然。

精细化管理是一项复杂、系统、艰巨且周而复始的工作，企业应该根据自身的人力现状和目前面临的客观环境，制定针对性较强的应对措施，既要重点突破，又要长期培养，精细化管理才能步步为营。

精者，去粗也，不断提炼，精心筛选，从而找到解决问题的最佳方案；细者，入微也，究其根由，由粗及细，从而找到事物内在联系和规律性。也可以这么说，"细"是精细化必经的途径，"精"是精细化渠成的结果。细不是目的，而是达到精的途径，通过细最终达到减损增效、提高竞争力的目的。回

中建四局法制建设工作探析

周中原

（中国建筑第四工程局，广州 510898）

随着依法治企工作的不断深化，加强企业民主法制建设，营造有利于企业发展的法治环境，已成为国家和企业共同关注的新课题。近年来，国务院国资委陆续颁布并实施了《企业法律顾问管理办法》和《关于在国有重点企业加快推进企业总法律顾问制度建设的通知》等相关规定，这对加强中建四局企业总法律顾问制度建设，全面推进四局法制建设工作，进一步提高四局依法治企水平提供了制度保障。同时，这也是中建四局在改制中和改制后需加强依法治企工作和应对市场环境变化的必然要求，是中建四局适应监管要求、加快自身发展的迫切需要，是出资人对四局的明确要求。今后一个时期中建四局企业法制建设的主要任务是：服从服务于发展、改革、稳定的中心工作，构建企业法律事务工作职能体系，建立健全防范法律风险的机制。工作重点应当是：全面推行企业总法律顾问制度建设，普遍设置专门的法律事务和合约管理机构，大力推进企业各个层面的法律事务工作，建立全系统法律事务工作总体框架，完善企业法律事务工作职能体系。笔者认为，中建四局作为一个国有大型建筑施工企业，根据企业的性质和特点，要做好企业的法制建设工作，应从以下方面入手。

一、应切实提高对企业法制建设工作重要性的认识

笔者认为，至少有以下四条理由，迫切需要我们大力加强中建四局的法制工作建设。

理由之一：是由企业法务工作的内容、功能、特点所决定的。企业法律事务工作包括领导决策过程中的法律事务、企业经营管理过程中的法律事务及解决各种经济纠纷过程中的法律事务，其具有预防、挽救、宣教三大功能。多年来，我们的企业法务工作主要停留在处理法律纠纷的层面上，很难从源头上加以预防和控制，其结果是纠纷层出不穷、案件此起彼伏，没有从根本上提高企业的法务管理职能。企业法律事务工作应更着重于防范风险，依法维护企业利益，重点是以事前为主、预防为主，以避免发生纠纷为目标，然后才是依法解决、处理已发生的法律纠纷。换句话说，企业法律事务工作，首先要起到"防火墙"的作用，其次才是当好"救火队"的角色。因而，做好企业法务工作的重要性，由此可见一斑。

理由之二：是贯彻落实科学发展观的客观要求。科学发展观，就是"以人为本、全面、协调、可持续"的发展观。我们贯彻落实科学的发展观，就是要坚持把

发展作为第一要务,加快发展、科学发展、协调发展,构建和谐企业。为此,重视和加强企业合约及法律事务工作,规避防范风险,提高发展质量,亦就成为题中应有之义。

中建四局自2004年底试行董事会制度以来,由于领导的高度重视和管理体制的优化,企业在依法经营观念、风险防范意识和内部控制等方面都有了较大的进步,但法律事务、合同管理工作与企业大发展的目标、与企业改革发展的现状还不相适应、不相匹配。近年来,随着市场的发展,企业每年发生的各类诉讼案件层出不穷,且呈逐年上升的趋势,突出地表现为案件数量越来越多,案件标的越来越大。这些问题的出现,主要缘于历史遗留问题多,同时还反映了企业法律事务及合同管理工作依然存在基础管理薄弱、合同管理失控、风险控制不力等问题。笔者认为,进一步加强企业法律保障体系建设,推进法律事务和合同管理工作,刻不容缓!

理由之三:是我们适应市场竞争的必然选择。国资委李荣融主任强调:"要高度重视企业风险的防范和管理,避免让企业进入高危风险领域,防止因外部环境变化或人为错误使企业遭受损失"。市场经济也是法制经济,风险无时不在、无处不在,我们不惧怕风险,关键是要重视风险、防范风险、化解风险,法律风险一旦产生,企业自身往往难于掌控,往往带来严重后果,有时带来的后果甚至是毁灭性的。美国通用公司原首席执行官韦尔奇先生有一句名言,他说:"其实并不是GE的业务使我担心,而是有什么人做了从法律上看非常愚蠢的事而给公司的声誉带来了污点,并使公司毁于一旦"。风险往往与机遇相伴,市场竞争环境的变化、竞争条件的改变,既可给企业带来更加丰厚的竞争回报,也可能给企业带来更多潜在的法律风险。因此,重视和加强企业法律风险防范,是我们适应市场变化,争取市场竞争优势的一项基础性工作。

理由之四:是实现国有资产增值保值的重要保证。中建四局作为国有资产的授权经营管理者,承担着实现国有资产增值保值的重要责任。要实现国有资产增值保值,一方面要加快发展速度,提高经营质量,提高发展质量;另一方面要建立起内部监督和风险控制机制,源头防范风险,过程控制风险,事后化解风险,减少国有资产损失,防止国有资产流失。企业法律事务和合同管理工作是企业内部监督和风险控制机制的重要组成部分,加强企业法律保障体系建设,完善合同和法律事务管理,有助于减少决策失误和经营管理行为不规范给企业带来的法律风险和经济损失,有助于维护企业合法权益,挽回和减少企业损失,防止国有资产流失。

笔者认为,作为企业的管理者,其使命就是加快企业发展,提高经济效益,实现国有资产增值保值,这是义不容辞的政治责任、经济责任、法律责任和道德责任。这就要求企业的管理者必须提高自身的法律意识和法律素质,依法治企,守法经营,规范运行;为官一任,就要造福一方,不能再出现"在位一切好端端、离位官司一串串"的怪现象。在日常的经营管理活动中,管理者必须要从实现国有资产增值保值的政治高度,在授权范围内有效行使职权,科学决策,规范运作,规避法律风险,维护好企业合法权益。总之,在企业生产经营管理的各个环节,要做到知法守法,对内讲制度、守规章,依法管理,忠诚企业;对外讲合同、守信用,依法经营,诚信社会。

二、加快建立健全法律风险防范机制

完善的工作体系、健全的职能机构和充足的人才队伍,是中建四局做好法务工作的基本前提。如何进一步加强法务工作体系以及机构和队伍建设,加快建立健全法律风险防范机制,已成为摆在我们四局人面前的一项十分紧迫而重要的任务。

1.理顺企业法律事务工作体系

中建四局近年来诉讼案件频发,平均每年都在400件左右,而且呈逐年上升趋势,总标的已突破5个亿,尤其是传统的号码公司已成为了法律纠纷案件发生的重灾区,原因虽然错综复杂,其中包含历史的遗留问题和现实的发展规模不断增大等原因,但企业内部、尤其在改革改制的过渡时期,管理责任不清、决策草率、制度不全、监管失控、法律审核把关不严等,也是一个重要原因,同时还是四局所有公司管理中都或多或少存在的一个共同点。虽然全局的法律事务工作体系在逐步得以建立健全，但大部分制度体系还不够完善，必须尽快跟进。

一是要理顺管理体系。总体的构思和想法是：要根据企业改革和发展形势的迫切要求，从事前防范、事中控制和事后补救的不同层次，在企业内部构建起纵横两条线交错的管理体系。从纵向讲：就是要建立和形成局、公司、项目三级垂直管理体系，一级抓一级，一级负责一级，层层抓落实。从横向讲：现阶段就是要形成"企业负责人统一负责、分管领导分工组织、法律事务机构具体实施、相关职能部门相互配合"的运行格局。这样两条线的管理体系，应当说布局合适、链条清晰、管理流畅，目的是要通过理顺管理体系，真正把中建四局的法律事务工作推向规范化、制度化的轨道。

二是要加强建立健全法律事务工作机构，落实法律事务工作人员。对于这个问题，主要还在于企业管理者要转变观念、增强紧迫感，重视培养企业自己的法律人才，因为企业法务工作无一不与企业生产经营中的业务有关，而且融于经营管理的全方位、全过程。如果还停留在出了问题完全依赖于社会律师或聘请法律顾问解决问题的阶段，就根本无法适应企业发展和市场的要求，因为无论律师的水平有多高，都难免存在对我们企业的情况不熟悉、业务知识面窄等问题，而且一旦使用不当，还容易发生泄露本企业的商业机密等情况。对此笔者并不是反对聘请律师，而聘请律师要有所选择、有所侧重，不但要发挥其专业优势，更多的还在于获得更好的社会资源，要把它作为搞好企业法务工作的补充。相比较而言，企业自己的法律人员有这样几个优势：一是对企业的生产经营活动比较了解，运用法律手段加强企业经营管理的针对性比较强；二是能保证全身心投入到企业繁杂的法律事务中去；三是可以参与生产经营的全过程，做到事前防范，避免纠纷，能及时维护企业利益；四是企业自身的法律人员与对方开展谈判、进行调解，对方易于接受。当然，由于企业法务工作涉及面广，涉及的部门和人员多，内容复杂，又带有服务的性质，所以也要求广大法务工作人员必须掌握全面的法律知识，必须具有高度的服务意识和良好的协作精神、奉献精神。

2.建立健全企业内控体系

企业内控体系是企业风险防范机制的重要组成部分。尤其在企业改革的转型期如何落实、如何结合企业实际建立、完善自己的内控体系是一个十分值得探讨的话题，在此，笔者想侧重说一下在建立内控体系过程中需要重点抓好的三个环节：

一是要建立科学决策的机制。企业的生产经营都涉及具体的决策，企业最大的风险也就是决策的风险。一次采购的失误可以造成一个项目的亏损，一个错误的决策甚至可能毁掉一个企业。企业生产经营中经常发生的一些错误决策往往是由于个别领导人员不能广泛听取各方面意见，刚愎自用；或不执行决策程序，个人说了算造成的。防范风险，科学决策是基础和保证。通过科学决策，可以达到"五个避免"：即眼界开阔，避免片面性；运营规范，避免随意性；作风务实，避免表面性；操作精细，避免粗放性；过程监控，避免盲目性。已实现改制后的企业，通过决策层与执行层分开，重大问题的决策多了一道把关程序，应该说在决策上更科学、决策效率更高，失误就会越来越低。在企业中要做到科学决策就要抓决策体系及决策机制建设，坚决反对拍胸脯拍脑袋决策。作为国有企业，其资本的属性决定了我们必须通过民主集中制来决策重大问题，既不能没人说了算，更不能个人说了算，必须做到科学决策。要科学决策，我们就要自觉树立信息意识，准确掌握信息，对实际情况做出准确的分析和判断；就要自觉培养民主意识，不断完善深入了解民情、充分反映民意、广泛集中民智的决策机制，推进决策科学化、民主化；就要自觉坚持程序，讲制度，讲流程，按原则办事，防止和克服决策的随意性；就要强化决策纠错意识，健全纠错改正机制，及时纠正错误，克服缺点，并尽量降低决策失误带来的风险。企业的各个管理层面都必须强调决策的科学性、民主性、合理性，对运行中可能产生的商业风险、操作风险、法律风险进行充分的分析和论证，深入了解情况，充分听取各方面的意见和建议，切忌一意孤行、主观臆断，坚决不能搞"情况不明决心大"的那种蠢事，努力把可测或不可测的风险系数降到最低。

二是要强化过程控制。过程控制，就得讲执行,讲监督,讲流程。我们强调管理法治化,依法治企,就是既要做到"有法可依",又要"有法必依",关键是"执法必严"、"违法必究"。我们企业的制度和规定是比较健全的,关键是执行和落实,使制度发挥作用。搞好过程控制,除了建立健全制度体系,还必须建立起相应的工作流程,使每一项制度都有人去执行和监督,使每一项工作都能按照规定的流程去落实。

首先要清楚规范业务流程的重要性。什么叫管理?管理就是管和理的统一;理是管的途径,管是理的目的。管就是监督、控制,理就是指导、服务,管理的过程应更注重"理",把管寓于理之中。而"理"则是制度和流程的统一,制度强调的是禁止人们做什么事以及做错了要受到什么惩罚;流程强调的是引导员工正确地做事、做正确的事。流程的科学程度与人对岗位的态度的结合,就能把每一件事情由明确向正确向准确再向精确推进。说到这里,流程的重要性就已经很清楚了。所以,我们一定要规范、梳理业务流程,通过一级对一级的指导、督促、检查、沟通和服务,加强约束,有效控制,提高管理者的权威性,强化执行力,把管理目标分解到每一个阶段、每一个人、每一个岗位,使一切都在控制中,确保最终的效果。如此这般,我们经营、管理过程中的各种风险就会大大降低,甚至避免。

三是要建立健全激励约束机制。哲学家孟德斯鸠说过,"没有监督和制约的权力必然产生腐败,这是万古不变的经验。"激励和约束二者不可偏废。一些企业在处理二者的关系问题上大致存在三种倾向:一是软激励,硬约束;二是软激励,软约束;三是无激励,无约束。所以都产生了一些问题。管理的目标是追求激励与约束并重,形成一种"讲回报、强激励、硬约束"的氛围。讲忠诚也好、讲廉洁自律也罢,这都无可厚非,都是对企业每一位领导干部最起码的要求,但同时也要看看激励措施到不到位。不乏事例表明:一个有功之臣为企业做出了贡献,但没有得到应有的回报,他的心态就容易失衡,结果是该得的得不到,那他就花不该花的、拿不该拿的、干不该干的。有鉴于此,一方面,在改革中要完善企业的薪酬分配制度,使员工的薪酬分配与企业发展相一致,增

强企业的吸引力和凝聚力。同时坚持实行阳光政策,鼓励和支持为企业做出贡献的人员真正能拿到阳光下的高收入。另一方面,要建立健全监督约束机制,使企业的生产经营管理者都置于有效的监督约束之下,依法经营管理,规范运作,维护企业合法权益。对不忠诚企业、不勤政廉政、失职渎职、贪污受贿、侵占挪用公款的蛀虫,也绝不姑息迁就,必须严肃处理、以正法纪。

3.全面推行中建四局企业总法律顾问制度建设

2004年,国资委明确了国有重点企业应当建立健全以企业总法律顾问制度为核心的企业法律顾问制度,并力争用3年时间在中央大型企业实行总法律顾问制度。目前,在中建总公司的要求下,各个工程局已基本建立了企业总法律顾问制度,第三级次的公司也在积极进行总法律顾问的试点工作,就中建四局各公司而言,目前还存在机构设置不健全、人才队伍严重缺乏等问题。

企业总法律顾问制度,是一种全新的企业管理理念,与一般的法律顾问最大的不同在于:总法律顾问能够进入企业决策层,参与生产经营全过程,从源头上规避法律风险,变事后补救为事前预防,从而全面提升企业法务工作的层次,发挥其在参与企业重大问题决策方面的参谋与助手作用,提高在合同管理、诉讼过程中的管理水平,为企业改革发展保驾护航。在激烈竞争的市场环境下,企业不但需要能真正"抠条文"的人,还要有全面控制合同履行、保障企业依法经营的人。要想建立现代企业管理制度,企业总法律顾问制度建设已成为必然和前提。这充分说明了企业总法律顾问的地位和作用,我们没有选择,必须加快推行这一制度建设。

三、努力提高企业法律事务工作整体水平

全面提高中建四局法律事务工作水平,要在以下五个方面下功夫、求实效:

1.在推进科学决策上下功夫、求实效

企业的重大经营决策直接关系到企业的成败得失,风险很大。"决策正确,成事之始;决策失误,败事之趋"。重大经营决策,不仅要科学、合理,而且要合

法。决策要讲求一个"和"字,即决策前要集思广益,认真调查研究,广泛听取各方面意见。各级领导要增强法律意识,善于依靠法律事务部门议政、善于依靠法律手段护身,对重大问题进行充分的法律论证。企业法律事务部门也要增强参与意识、主动意识、服务意识,就企业经营管理中的有关问题为领导决策提供法律意见,参与、协助企业领导和部门的有关工作,起草、审查企业合同和法律文书,促使企业依法进行经营管理,预防发生纠纷,避免造成经济损失。

2.在推进"两消灭"工作上下功夫、求实效

"两消灭"即消灭亏损项目和亏损企业,是我们提高经济效益的最根本落脚点。总公司对此也有明确要求,如果企业不消灭亏损项目,亏损项目就要消灭企业。纵观我们一些项目亏损,有管理不到位造成的,有合同条件先天不足造成的,有签证和索赔不到位造成的,有腐败行为造成的,凡此种种。这一方面说明了我们的法律事务和合约管理工作还比较薄弱,但另一方面也说明我们的法律事务工作尚有大有可为的空间。

我们要积极推进法律顾问工作进项目,为项目管理服务,为企业一次经营、二次经营、三次经营服务,重之重是要抓好合同管理这一最基础的管理工作。不仅要重视合同签约前的管理,更要重视合同签订后的管理;签订一个好的合约只是成功的一半,若不能有效进行合同管理,以变应变,随机应变,再好的合同条件或许也会功败垂成。合同管理必须贯穿于合同签订和履约的全过程,贯穿于企业管理的始终,对合同履行的全过程进行监督,使合同管理覆盖到企业管理的每个层次,延伸到企业管理的各个角落,夯实合同管理的基础工作,规避风险,维护企业合法权益。

3.在推进企业改革改制上下功夫、求实效

随着企业改革改制工作的深入,涉及的法律事务越来越多。企业的改革改制工作涉及面广、政策性强,事关各方利益,必须依法进行。企业法律事务部门要参与企业改革改制方案的制订或提出修订意见,把好法律关,保证改革改制顺利进行,兼顾好企业与职工利益,维护企业和职工的合法权益,防止国有资产流失。

4.在推进企业反腐倡廉上下功夫、求实效

一方面,要充分发挥企业法律事务工作的教育功能,加强对各级领导干部的法制宣传教育,提高他们的法律意识,使他们知法守法,自觉筑牢思想道德防线、廉洁从业、勤政廉政。另一方面,要充分发挥企业法律事务工作的预防功能,建立健全内部监督和风险控制机制,堵塞漏洞,不给腐败分子可趁之机。再一方面,对日常工作中发现的违法违纪行为,要在掌握确凿证据的基础上,及时报送纪检监察部门或司法机关立案查处。

5.在事前防范和事后救济上下功夫、求实效

如前所述,企业法律事务工作首要先要起到"防火墙"的作用,其次才是当好"救火队"的角色。但就中建四局现阶段至少是近期而言,"救火队"的任务还十分繁重,因为一些遗留的官司要面对,加上发展过程中还不可避免地要发生一些新的纠纷要处理。所以,既要重事前防范,又要抓事后救济,加强债权债务清理,特别要加强诉讼管理,做好与诉讼有关的证据、授权委托、起诉时机、应诉策略等方面的管理工作,保证企业的合法权益不受侵害,减少企业损失。诉讼纠纷处理涉及诉讼策略与法律专业知识,诉讼策略是否恰当,关系到企业利益,企业内的诉讼纠纷,必须由企业法人层次协调处理;重大诉讼纠纷案件,要建立主要领导亲自抓、相关部门参与协调、法律部门具体处理协作机制。

总之,在改革开放的今天,中建四局作为一个大型国有建筑施工企业,面对国内外强有力的竞争对手和合作伙伴,面对纷繁复杂的经营环境,通过法律风险控制手段防范和化解法律风险,避免重大法律风险的发生,已成为本企业进一步完善法律事务管理体系、提高核心竞争力的关键因素和必然要求。我们只有进一步开拓管理思路、创新管理模式,提高法律风险预见和防范能力,将法律风险防范纳入企业经营管理的每一个环节,建立起稳定的管理流程,才能更好地适应新形势、新变化,妥善解决新问题,只有与时俱进,适时调整和完善法律风险防范的体系,才能形成有效应对机制,实现企业法律风险防范的规范化、系统化运作,使企业法制建设工作更上一层楼。⑧

提高认识　切实维护进城务工人员合法权益

——施工企业做好进城务工人员工作的几点思考

李洪运

(中建五局北京公司，北京 100835)

前　言

尊重和关爱农民工，是构建和谐社会的重要内容，而我们施工企业是进城务工人员主要的集中地方，应该看到，尽管我们对进城务工人员给予了高度关注，但其生活工作条件和环境还有待得到进一步改善。如何维护进城务工人员的合法权益，引导全社会尊重、关爱这一群体，对于形成平等友爱、团结互助的社会主义新型人际关系，促进施工企业协调发展，具有重要的现实意义。

1984 年，我局开始把农民工请进来了，特别是近年我们实行"两层"分离的经营管理模式(即：内部管理层与作业层分离)以来，基本上把作业层的市场空间转换给了农民工队伍，目前使用的进城务工人员在人数总量上已经远远超过了我局自有职工总数。进城务工人员的辛勤劳动为我们企业的发展做出了积极的贡献，促进了企业各项生产指标完成。

一、进城务工人员队伍存在的问题

1.进城务工人员工资按时发放难

我局目前使用的外施队伍中，大多数为未成建制的队伍，规模比较小，队伍变动性大，内部人员流动性也大，我们对外施队伍的管理也只停留在外施队伍管理者的层面上，进城务工人员的工资也由外施队伍自行发放和管理，项目部每月按完成的工程量和分包合同条款规定比例拨款给外施队伍，外施队伍再按照与进城务工人员事先约定的报酬支付工资，其工资水平虽与我们自有职工工资有一定差距，但总体上都超过了地方最低工资标准。造成进城务工人员工资难以按时发放的主要原因有两个方面：

一是有些项目低价中标，或垫资或甲方(业主)不按合同约定按工时拨付工程款等因素造成项目部资金紧张，为了确保工程正常施工，项目部往往是集中资金确保建筑材料的供应和食堂基本生活费用，造成人工费拖欠；

二是少数项目对外施队伍监控不力，部分外施队伍老板挪用项目人工费，人为造成进城务工人员工资拖欠。

尽管如此，我们通过调查，在我局施工项目上使用的进城务工人员，工资虽不能按时发放，但在年底或用工结束时基本上能确保进城务工人员工资足额发放。

2.进城务工人员安全生产、文明施工意识低

我局每个项目部都制订了安全生产、文明施工

的工作制度和操作规程，大多数项目部对进城务工人员也定期和不定期地进行安全生产和文明施工方面的知识培训和技术交底，在职业健康安全卫生方面，每个项目对每位进城务工人员配备了必需的劳保用品，特别是抓施工现场 CI 企业视觉文化覆盖以后，施工现场比较规范，进城务工人员的施工条件、住宿条件和食堂卫生条件都有了很大的改善。但是由于外施队伍既不成建制也不具备资质，内部变动性以及人员流动性大，造成管理不规范，项目部安全生产措施和制度落不到实处，加之进城务工人员多数从农村来，其本身的安全意识、自我保护意识和能力都不强，在少数项目上发生安全事故处理责任不明确，项目部与劳务承包人有相互推诿现象，致使受害人员得不到及时治疗和事故的妥善处理，或者发生安全事故不按程序上报，存在私下解决现象。

3.进城务工人员文化知识、职业技能水平低

由于建筑行业特性，我们项目作业层多数是使用农民工，文化水平和程度比较低，由于缺乏专门的技术技能培训（项目部对他们的培训也只停留在安全生产和文明施工的层面上），多数进城务工人员职业技能是依靠"师傅带徒弟"方式或边看边干"自学成才"方式学来，他们的职业技能水平比较低，更谈不上要求他们持证上岗了，这也给我们项目安全、质量和文明施工留下了隐患。

4.进城务工人员劳动合同签订率低，保险待遇落实难

在我局使用的进城务工人员签订劳动合同 2725 人，占进城务工人员总数的 19.1%，建立意外伤害保险 7130 人，约占 50%，建立其他社会保险 167 人，约占 1.2%，这部分人多集中在成建制的队伍当中。

造成进城务工人员保险待遇落实难的原因：

一是由于我们企业本身对进城务工人员纳入企业员工的认识不足，对外施队伍管理和约束只限于单项分包合同（即劳务分包合同）规定的条款和内容；

二是由于社会责任缺失，外施队伍老板在经济利益驱动下，往往为了追求个人经济利益最大化，忽视了进城务工人员经济利益，而不愿意为进城务工人员办理各种保险；

三是由于进城务工人员文化水平偏低，对自己合法权益方面知识了解不多，也害怕"老板炒鱿鱼"丢掉工作，不敢提出要享受待遇；

四是工会组织建设工作滞后，对进城务工人员加入工会组织的认识和宣传力度不够，忽视了对进城务工人员的维权工作。

二、进城务工人员在权益保障方面的具体要求

为准确地了解进城务工人员在权益保障方面的具体要求，笔者在本公司正在施工的项目上，对逾 500 名进城务工人员组织了问卷调查，回收答卷 500 份，从中了解到进城务工人员在权益保障方面的一些愿望和要求，具体统计结果如下：

一是希望"工资能按时足额发放"的有 500 人，占 100%；

二是希望"发生工伤事故能及时得到医治，发生死亡事故能按政策得到补偿"的有 500 人，占 100%；

三是希望"与企业自有职工享受同等待遇，建立意外害伤保险和其他社会保险"的 357 人，占 71.4%；

四是希望"有教育培训机会，提高职业技能水平"的有 265 人，占 53%。

三、工会对进城务工人员队伍管理的几点建议

1.提高认识，加大对进城务工人员管理工作力度

国家对维护进城务工人员合法权益工作极为重视，相继出台了一系列维护进城务工人员合法权益政策，有关部门也正在制定相应的保障条例、规章和制度。我局各级领导和项目部应提高对进城务工人员的认识，加强对进城务工人员的管理，结合企业实际情况，保障进城务工人员合法权益，切实帮助进城务工人员解决生产生活中的实际困难和问题。只有进城务工人员队伍管理加强了，整体素质提高了，我们的项目生产进度、施工质量才有根本保障，安全事故才能得到有效控制。

2.做好进城务工人员组建工会工作

单位工会组织应以"三个代表"重要思想为指导，抓住党中央已经明确了进城务工人员也是中国工人阶级一部份的有利时机，把进城务工人员吸引

到工会组织中来。要结合我局项目的实际情况，与劳务分包队伍一起，抓好项目工会联合会建设工作，把广大的进城务工人员吸引到工会组织中来，利用工会组织工作优势，通过广泛宣传和教育，使进城务工人员的合法权益切实得到全面保障。

3.认真维护进城务工人员的基本合法权益

单位工会组织要按照《劳动法》要求，加强对进城务工人员劳动合同的监督管理，在签订单项分包合同中，应明确规定外施队伍必须与进城务工人员签订劳动合同，为进城务工人员办理各种社会保险，保证进城务工人员的工资发放。要充分发挥工会联合会的作用，加强与建设方（业主）的联系和对外施队伍老板的监督，尽可能确保人工费的支付，要把维护进城务工人员的基本合法权益作为一项重要工作来抓，并建立相应的监督检查制度。

4.加强进城务工人员安全生产、劳动保护工作

要积极配合行政有关部门，认真贯彻落实国务院《建设工程安全生产管理条例》，落实《建筑安全工会检查标准》，努力抓好进城务工人员安全生产、劳动保护工作。一是在使用外施队伍时，采取招投标的办法，尽可能使用具有劳务资质、成建制、社会信誉度高的队伍；二是加强单位职代会安全生产（劳动保护）专门工作小组监督检查力度，发挥项目工会联合会作用，做好外施队伍的安全生产教育培训工作；三是项目上应与外施队伍签订安全生产合同书，建立健全安全生产制度；四是鼓励和安排进城务工人员参加职业技能培训取证，提高技能水平，避免安全事故的发生。

5.改善进城务工人员生产生活条件和环境

在切实关心并帮助进城务工人员解决实际问题，在贯彻落实建筑企业文明施工标准的基础上，解决好进城务工人员的住宿、食堂、饮水、厕所、洗浴等基本生活设施，要做到整洁、卫生、方便，为进城务工人员营造一个安全、舒适、健康的良好生活环境。

6.提高建筑业进城务工人员队伍整体素质

要有针对性地对建筑业进城务工人员进行思想教育、法制教育、科学文化教育、职业道德教育和职业安全卫生、技能的培训，使他们提高文化知识和劳动技能，树立职业道德，增强法制观念。要积极创造条件，开办进城务工人员夜校，学习文化和技术，组织各类的文艺活动，丰富他们的业余文化生活。同时，结合企业和工程项目的实际，围绕施工生产的重点，组织进城务工人员开展学技术、比贡献的岗位练兵以及合理化建议活动，以项目或工种举行劳动竞赛活动，为施工一线培养生产技术骨干，提高进城务工人员的"建筑职业"、"建筑工人"意识，充分调动他们的生产工作积极性、创造性，提高他们的整体素质。⑥

不断提高资源再生效益 实现工程项目资源信息化管理

（中国石油集团工程设计有限责任公司华北分公司，河北任丘 062552）

◆ 杨智慧

摘　要：本文探讨了实现工程项目资源信息化管理的必要性、可行性，提出了工程项目资源信息化的基本模型，研究了通过工程项目资源信息化管理来实现资源积累、经验积累和知识积累，并不断提高资源再生效益的途径和方法。

关键词：工程项目，资源管理，档案管理，再生效益，经验积累，知识积累

一、引　言

从工程项目招投标开始，到项目的实施，到项目有关材料的存档，再到工程的交付使用，必然会伴随着资源的投入和消耗。资源投入和消耗的目的，是为客户提供满意的产品和服务，同时获取合理的利润。为了提高资源投入的质量和效益，许多新技术在工程项目管理的不同阶段进行了应用，并取得了很好的效益。例如，工程投标辅助报价系统、工程项目管理软件（如 P3 软件），以及以 Autodesk buzzsaw 为代表的适用于建设工程生命周期管理的系统。这些软件或系统的共同特点是以项目为目标，一个项目的结束也就意味着一个目标的完成。

为了延长资源投入的效益期，许多工程公司已将目光从资源投入直接效益的研究上，拓展到了资源再生效益的研究上了。

工程项目存档的图纸、文档是企业重要的潜在资源，伴随项目实施全过程产生的经验、教训是企业最具活力的能动资源。如何提高潜在资源的活力，实现资源的有效积累

和共享,并从积累、比较、改进和提高,到不断积累、不断比较、不断改进和不断提高的过程中,不断提高资源的再生效益,是本文的主要目的。针对许多企业的实际情况,本文提出了拓展档案管理的视野,改进档案管理的方法,通过实现工程项目资源信息化管理来实现经验积累、知识积累,并通过经验与知识的共享来不断提高资源再生效益的思想和方法。

二、工程项目档案管理的发展问题

工程图纸的复用就是资源重复利用的具体体现,资源的重复利用决不仅限于图纸的复用。由于历史资源的重复利用与档案管理密切相关,所以不少单位为了提高档案管理的效率和质量,自行开发或引进了图纸档案管理方面的软件。与传统的人工管理模式相比,这些软件的应用在提高档案管理效率和质量方面起到了很大的作用。但这样的提高主要体现在管理手段的改进,很多都没有突破传统的档案管理理念,尚未上升到资源管理高度,尚难适应工程资源信息化管理的要求。在这里突出表现在三个方面:信息资源的管理问题、资源信息的加工问题以及项目管理的延伸问题等。

1.信息资源的管理问题

这里主要体现在传统的档案管理理念已经不能适应工程项目档案管理发展的要求了。尽管有的单位在档案管理手段上有了提高,但在管理内容上却没有大的突破。原因是,许多档案管理者还是基于传统的"档案"观念进行档案管理,许多有价值的项目信息资源没有被纳入"档案"的范畴进行管理。例如:关于工程项目的客户信息、关于项目的影像资料、关于项目的图片资料、关于工程项目不同类型的电子模板(工程量模板、汇报系统、汇报方案、标书等)等。由于这些信息还没有上升到档案管理的高度,所以这些信息大都分散在不同部门和不同员工之间。伴随着部门的调整、人员的调动和时间的推移,这些信息面临着灭失的危险。由于对这些信息缺乏有效管理,所以难以形成一种企业资源,更难形成企业的资源积累。因此,在工程项目档案管理方面,应该将传统的"档案"管理拓展为信息资源管理。不管是最终成果还是过程性成果,不管是书面的还是电子的,总之不能拘泥于传统

观念,只要是有价值或潜在价值的,都应该纳入搜集、整理和管理的范畴。从资源积累的角度来看,对信息资源进行有效管理具有重要意义。

2.资源信息的加工问题

资源信息的加工问题关系到资源的复用问题。对资源信息的加工应该遵循四个基本原则:第一,可标识,也就是能够标识出资源的类别及其重要属性;第二,易检索,也就是能够根据资源的类别及其重要属性进行检索;第三,易比较,也就是容易对具有类似属性的资源信息进行比较;第四,易使用,也就是容易对检索和比较的资源信息进行使用。这四个原则是对资源进行信息化管理的基础,也是让信息变成资源的关键。传统的档案管理也是一种资源管理,但从资源管理的角度来看,它仅仅是一种初级的资源管理。许多有价值的"资源"或"信息"它都管了起来,但"资源"的能动性很差,只能长期作为潜在资源。

以工程概预算和投标报价为例。在投标的时候,不管是专业技术人员还是概预算人员,或是投标的决策人员,都希望比较方便地对以往类似的项目资源进行重复利用,或从技术角度、经济角度与历史项目进行横向比较,以进一步提高投标项目的"性能价格比",最大限度确保投标项目的科学性和合理性。类似项目的工程概预算都有存档,但很多单位难以在短时间内调用所有类似项目的资源。问题就出在了他们概预算的目标仅是某个具体工程,完成"存档"就意味着基本完成任务,没有或很少考虑资源信息的加工与复用问题。例如:在油库项目的投标活动中,能否调用所有承揽过的油库的项目资源,能否对所有项目中不同容积的油罐所对应的工程量清单、设备清单、材料清单进行比较,能否对类似工程单元的工程量清单、设备清单、材料清单进行比较等,很多单位难以做到。以往的工程概(预)算有没有存档?有,是传统的书面文件。即便有电子版的概(预)算文件存档,它也不满足前面提到的资源信息加工的四个基本原则。如果满足了四个基本原则,不管是用数据库还是Excel表,都能方便地调用所有类似项目的资源信息。

从资源信息的复用角度来看,传统的档案管理在资源信息加工方面还有很大的发展空间。因为只有对信息进行科学加工,它才能变为一种能动资源,

同时只有对资源进行信息化管理才能提高资源的复用率。从这个角度来看，档案管理应该是资源的搜集、整理、加工和管理等，而不限于收集、管理。当然，资源信息的加工问题不光涉及档案管理环节，还涉及资源信息的生产过程。

3.项目管理的延伸与深化问题

对信息资源的管理和对资源信息的加工，是实现工程项目资源信息化管理对工程档案管理提出的要求。从资源信息加工和档案管理的角度来看，项目管理需要进一步延伸和深化。

还以工程概预算成果为例。对工程项目及工程单元信息进行分解、标识，以满足资源信息加工四个基本原则的要求，仅在档案管理阶段恐怕难以完成。因为，概预算资源信息的加工还涉及概预算人员和设计人员。项目的组织与实施固然是项目管理的重点，但是在项目实施过程中项目信息的加工和规范也不容忽视。比如设计人员应该按什么要求向概预算人员提供基本信息，概预算人员按什么要求进行概预算，才能达到工程项目资源信息化管理的要求。这些应该是项目实施中的规范性问题。

当然，项目资源信息化管理还应包括项目管理中的 WBS 分解、OBS 分解、CBS 分解等。正如前面所说的，只要有潜在价值我们都应尽量将它们纳入管理的范畴。只有这样才能实现资源的广泛积累，包括技术资源、管理资源等。

三、工程项目资源信息化管理

工程项目资源的复用率，是资源再生效益高低的重要体现。实现工程项目资源信息化管理是提高资源再生效益的重要手段。

1.必要性

对工程项目资源进行信息化管理的必要性已无需多说了，不少单位已经在工程项目资源信息化管理中获得了收益，关键是针对单位的不同情况如何实现工程项目资源信息化管理。因此后面重点就信息化管理的可行性以及信息化的基本模型进行讨论和说明。

2.可行性

实现工程项目资源信息化管理主要涉及三个层面的问题：信息资源的管理问题、资源信息的加工问题和管理工具问题。如前所述，信息资源管理的核心就是将工程项目有价值的信息资源纳入管理范畴，资源信息加工的核心就是对资源信息进行科学、合理的深加工，以利于资源的重复利用。这两个问题的实质是个管理问题和规范问题，每一个单位都可以根据实际情况实现这两个目标。第三个问题就是管理工具的问题。

在管理工具方面，有条件的单位可以实现数据库管理，管理的自动化程度较高。没有条件的单位可以通过 Excel 或其他通用工具实现工程项目资源的信息化管理，因为 Excel 这样的办公软件也具备一般的检索功能、排序功能、统计功能、索引功能等。待条件成熟时，再升级到更好的信息管理系统。因此，一般单位都应具备工程资源信息化管理的基础和条件(图1)。

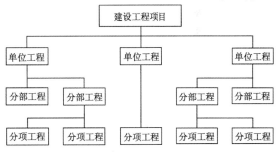

图1 建设工程项目分析示意图

3.工程项目资源信息字化模型

工程项目信息主要包括技术、经济、法规和管理四大类信息。下面结合一些企业实际管理中存在的问题，就工程项目及其单元的信息模型进行讨论和说明。

工程项目及其单元具有不同的属性信息，不同的属性信息具有不同的用途。工程项目资源信息管理的基础就是对工程项目进行合理分解，并对工程项目及其单元进行信息化描述。根据工程的结构特性或专业特性，一般的工程都可以分解成如图2所示模型的结构。

当然，有的工程还有单项工程、子单位工程或子分部工程等。这样的分解既有利于对整个项目资源的调用和分析，也有利于对工程单元信息资源的调用和分析，还有利于对不同项目之间类似单元项目信息进行横向比较和分析。

在投标、项目管理和项目实施过程中，我们无不

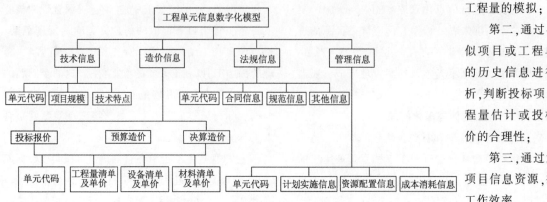

图2　工程项目单元信息数字化示意图

关心工程单元的有关情况。如工程单元的工程量、工程造价,以及工程单元的进度计划、资源配置情况等,这些信息都与工程单元密切相关。围绕工程单元及整个工程项目所产生的技术信息、经济信息和管理信息等成为了工程项目资源信息管理的对象和目标。

我们知道,工程项目的属性信息与工程单元的属性信息是不一样的,而它们在信息类别方面具有很强的共性。下面以工程单元为例来建立、讨论和说明工程项目的信息化模型。

通过这个模型定义的工程信息,就基本符合资源信息加工的四个基本原则了,就可以基本实现工程项目资源的信息化管理了。当然,管理要求不同、应用目标不同,模型的结构和表述也应有所不同。

四、工程项目资源信息化档案的应用

前面讨论了实现工程项目资源信息化管理的相关问题,尤其是讨论了它的可行性。与可行性相关的另外一个问题就是"投入产出"的问题。

在信息资源管理和资源信息的加工过程中与传统模式相比,有的环节上一定会有不同工作量的增加。这里就有一个投入是否划算的问题,也就是说那样的投入会有什么样的回报。因此下面主要谈一下工程项目资源信息化档案的应用问题。

1.投标方面

如果能够按照上面的模型实现工程项目资源的信息化管理,那么在投标方面至少可以发挥以下几个方面的作用:

第一,通过类似项目的相关信息完成投标项

工程量的模拟;

第二,通过与类似项目或工程单元的历史信息进行分析,判断投标项目工程量估计或投标报价的合理性;

第三,通过复用项目信息资源,提高工作效率。

实现这一目标的主要投入就是按资源信息加工的四个基本原则或上面模型的要求进行估算、概算、预算和决算,不能眉毛胡子一把抓。按单元进行信息加工和信息管理,在信息复用时自然也就可以按单元进行处理了。

2.概预算方面

概预算需要的不仅仅是规范和定额,更需要丰富的工程经验。同样的工程或工程单元,不同的概预算人员编制的概预算文件可能就不一样,由此得出的"工程造价"也就不同。投标报价和工程造价的控制与概预算文件的编制水平密切相关。实现工程资源信息化管理,在概预算方面至少有以下几个方面的作用:

第一,可以提高工作效率。在投标过程中,如果碰到可以复用的工程或工程单元,就可以极大地提高概预算的工作效率。

第二,可以提高工作质量。在设计投标或工程总承包的投标过程中,往往会因为设计深度的不足而造成准确估算工程量的困难,从而影响工程报价的科学性和合理性。如果有以往项目的相关信息作参考,无疑会提高投标报价中概预算工作的质量。

第三,可以实现概预算经验的有效积累。因为概预算资源信息的管理实现了模块化和数字化的管理,人们可以对高水平的概预算文件结合图纸进行定性分析和定量分析了,有了这样的分析也就有了经验总结和经验积累的基础。

实现这一目标的投入和前一个目标的投入是一样的。这一点充分体现了工程项目资源信息化管理中资源管理、资源共享和一次投入长期受益的好处,是提高资源再生效益的重要体现。

3.技术、经济比较和工作质量的分析方面

一个项目的有关文档存档之后，并不意味着项目管理和质量控制工作的结束。类似的项目由不同的人员进行设计、不同的人员进行概预算，可能会给客户带来不同的"性能价格比"。不管是投标阶段还是实施阶段，客户都希望自己的工程有一个好的"性能价格比"。如果实现了工程资源信息化管理，那么在项目管理和质量控制方面至少会有如下的作用：

第一，以工程项目信息资源为基础，对类似项目或工程单元的"性能价格比"进行分析，寻找更好的技术与经济的结合点，为提高工程或工程单元的"性能价格比"提出有价值的意见或建议。

第二，对工作质量的分析。有的技术人员为了"有把握"，有时超规范加大工程量或加大所谓材料的"余量"或"损耗"。建立工程资源信息化档案之后，不管是从项目管理延伸的角度，还是从质量控制延伸的角度，都可以对这方面的工作质量进行综合比较、分析和评价了，并为进一步提高工作质量提出有针对性的意见和建议。

有了经验和教训两方面的不断总结，才能在项目投标和项目实施阶段不断提高工程的"性能价格比"，进而不断提高客户的认可度和满意度。

4.项目管理方面

在项目管理方面，一样存在着经验和知识的积累，如针对项目的 WBS 分解、OBS 分解、CBS 分解乃至整个项目的进度控制、资源控制和成本控制方案等。对于同样的项目，不同的项目管理人员可能就有不同的 WBS 分解、不同的 OBS 分解、不同的 CBS 分解乃至不同的进度控制、资源分配和成本控制方案。这样的差异体现了经验的不同和管理能力的不同。如果实现了工程项目资源信息化管理，那么在项目管理方面，至少有如下几个好处：

第一，针对不同类型的工程建立不同的 WBS 模板、OBS 模板、CBS 模板等。

第二，类似模板的复用、改造可以提高工作效率。

第三，实现管理经验的积累。由于对项目管理信息进行了有效管理，因此就可以结合项目的管理目标对管理策略和实施策略进行定性分析和定量比较了。有了这样的积累、比较和分析，也就有了管理经

验积累的基础和条件了。

5.人才培养方面

工程项目资源信息化管理实现了对资源的有效管理，通过对资源的搜集、整理和加工，可以提高资源的再生效益。由于资源的积累也是经验和知识的积累，每一个工程项目的资源信息都是一个鲜活的、系统的、全面的工程案例，有经验也有"教训"。结合工程的实际背景和工程项目的资源信息档案，可以大大缩短人才的培养过程，提高人才的培养质量。例如：没有当过负责人的设计人员可以通过信息化的项目调研方案和汇报方案，了解不同类型项目需要调研和汇报什么样的问题，经验较少的项目管理人员可以通过信息化的管理资源学习 WBS 分解、OBS 分解、CBS 分解以及项目的进度控制、资源分配和成本控制等。有比较就有鉴别，有鉴别就有了继承、发展和提高的基础。因此，项目资源信息的积累在人才培养方面具有重要作用。

五、结　束

实现工程资源信息化管理，建立工程资源信息化档案的目的就是要实现资源信息的有效管理，通过对资源信息的积累、比较、改进和提高，到不断积累、不断比较、不断改进和不断提高的途径，不断提高资源的再生效益。从改变管理理念方面入手，达到不断提高技术水平和管理质量，实现向管理要水平、向管理要质量和向管理要效益的目的。随着项目资源信息的日益丰富，工程项目资源信息档案的作用就会越来越大。

本文就工程项目资源信息化管理的不同方面进行了讨论和研究，工程项目资源信息化管理的内容、管理的深度、管理的手段、资源信息的应用等方面远不止本文所述及的，同时与先进的管理思想、管理方法相比还有不少的差距。但是，在工程项目资源信息化管理方面不少企业尚未引起足够的重视，大量有价值的资源信息没有得到有效的搜集、整理、加工和管理，大量的资源信息面被淹没于"档案"之中，或面临失落或灭失的危险。如果本文能够在实现工程项目资源信息化管理方面起到积极的宣传作用，或对实现工程项目资源信息化管理有所裨益的话，也就达到本文的目的了。⑤

落实科学发展观
创新项目管理模式

张志平

（中建国际建设公司，北京 100026）

绪　论

科学发展观的第一要义是发展，核心是以人为本。建筑企业作为国家经济的重要支柱之一，应在"十七大"精神的指引下，结合行业特点落实科学发展观，创新管理模式，从而促进建筑行业的可持续发展。

工程项目管理是建筑施工企业各项基础管理工作的出发点和落脚点，是建筑施工企业经济效益和社会效益的源泉。加强工程项目的规范管理，最大限度地提高工程项目的综合效益，促进工程项目管理的科学化、高效化、规范化，是所有建筑企业都面临的重要课题。

建筑行业的总体现状是：建筑市场总量有限，市场营销压力大；施工企业数量众多，竞争激烈，项目中标价格低；业主投资日趋理性，工程洽商索赔难度大；工程资源（劳务、物资）价格不断增加，成本压力大。

建筑企业尤其是国有建筑企业工程项目管理的现状是：公司总部对于项目经理部的控制较弱，同时总部对于项目经理部的支持和帮助也很欠缺，项目管理的成功与否主要取决于项目经理的个人素质和项目经理部的综合能力而不是公司的整体实力。项目经理部内部责任体系不清晰,绩效考核工作缺位或不到位,造成了"干好干坏一个样"的大锅饭现象,项目经理部人员缺乏责任感和危机感,工作能动性差,不能有效控制项目成本,极易造成项目利润流失。

鉴于上述现状,建筑企业尤其是国有建筑企业应从实际出发,创新出一种新的项目管理模式,落实科学发展观,充分做到以人为本,调动管理团队中每一个个体的积极性,从而提升企业核心竞争力,促进企业又好又快发展。当前,国内已有个别建筑总承包企业开始推行责任工程师制的项目管理模式,取得了比较好的效果,现将这种项目管理模式介绍如下。

一、责任工程师制项目管理模式的内涵

1.责任工程师制的概念

责任工程师制就是要通过划小项目责任单元,明确各级责任主体(责任工程师),在项目内部实行分级授权和目标分解,系统建立"人人有责任,人人有权力,人人有目标"的责权利对等的项目管理体系,促使员工充分发挥个人的积极性和主动性,通过项目平台利用和支配资源,创造更大的项目利润空间,加快个人职业发展,进而实现员工与公司的和谐双赢。

2.责任工程师制项目管理模式推行的基本要求

组织机构扁平化,部门与岗位设置合理;责任部门与岗位分工明确,目标清晰;实行分级授权管理,责权利高度统一;全员关注成本,共同创造项目利润空间;考核公开、公平、公正,激励及时有效;工作环境和谐有序,有利于人才快速健康成长。

二、责任工程师制项目管理模式的组织结构

组织结构作为项目管理的组织保障,对项目的成败起着决定性的作用,因为组织结构是项目管理的骨架,它下达指令,协调矛盾,统一步调,承担组织运转和决策的重任。

一流的建筑企业,除了有良好的项目管理体制、先进的项目管理技术和信息管理手段作支撑外,必然有健全的组织结构。如果说一个组织内部出现了问题,需要进行诊断,首先也应从其组织结构入手。

责任工程师制项目管理模式想要发挥其最佳效能,也必然有一种与之相适应的组织结构。下文将针对这种管理模式阐述与其相适应的组织结构。

1.典型的项目组织结构

根据PMI的定义,项目组织结构从大类上可以按照从面向功能到面向项目的程度划分为:职能型、矩阵型和项目型。

职能型组织结构。在职能式组织结构中,组织从上至下按照相同职能将各种活动组织起来。各职能部门派人参加项目,参加者向本部门领导报告,跨部门的协调在各部门领导之间进行。条块分割和组织过于稳定是这一组织结构的主要不足,条块分割使之在跨部门或多部门的工作中容易失效。在传统的施工企业中,这种管理模式还是比较常见的,技术、合约、现场、质量、安全等部门主要以职能分工为主。

项目型组织结构。项目型组织结构中,每个项目就如同一个微型公司那样运作,完成每个项目所需的资源完全分配给这个项目,专门为该项目服务。项目型组织结构对工作任务、岗位职责、资源配置、绩效考核等非常具体明确,因而得到了广泛的应用。但它对资源的占用性也较强。

矩阵型组织结构。矩阵型组织结构是职能型和项目型组织结构的综合,综合了两者的长处,有明显的优势和特点,而成为一种新的组织结构形式。矩阵制组织结构,根据职能特征和项目特征的强弱对比,又可分为弱矩阵型、均衡矩阵型和强矩阵型。

弱矩阵结构保留了较多的职能型组织的特征。由各职能部门派人参加项目,参加者向本部门领导报告,跨部门的协调在各部门派出的协调人之间进行,没有专职的项目经理。项目负责人扮演的是协调者、协助者的角色。这种结构形式在建筑企业多表现于临时成立的投标小组、设计小组中,小组长是协调负责人,各部门派人参与。

均衡矩阵结构中职能型组织特征和项目型组织特征比较平衡。在上述弱矩阵结构的基础上,指定其中的一名协调人作为项目经理,负责项目的管理,其他各部门委派的协调人不仅要向本部门报告,在项目

过程中还要向项目经理报告,项目经理有权安排参加者的工作。由于项目经理的出现,使项目管理得到了一定程度上的保证,提高了项目的工作效率。但是,由于受双重领导,可能出现指令不一的矛盾和冲突。

强矩阵结构中,项目型组织特征占主导地位。职能部门派出的参与者纳入项目组织范畴,由项目经理统一安排调度,对职能部门的主要是汇报职能。

表1是几种组织结构的特点比较和分析。

几种组织结构的特点比较和分析   表1

特点分析 组织分类	组织结构 的优点	组织结构 的缺陷	适用 的组织
项目型结构	命令统一 权责分明 组织稳定	缺乏横向联系 权力过于集中 对变化反应慢	小型组织 简单环境
职能型结构	高专业化管理 轻度分权管理 培养选拔人才	多头领导 权责不明	专业化组织
矩阵型结构	密切配合 反应灵敏 节约资源 高效工作	双重性领导 素质要求高 组织不稳定	协作性组织 复杂性组织

2.责任工程师制项目组织结构

(1)公司层面的项目组织结构(均衡矩阵组织结构,图1)

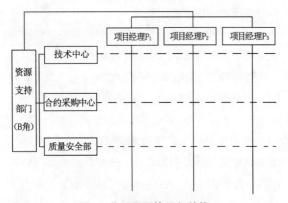

图1　公司层面的组织结构

国内很多建筑承包企业总部资源支持部门与各项目经理部之间的组织结构关系,基本上是属于项目型组织。其特点是,各个项目经理部之间以及项目经理部和资源支持部门之间是相对独立的,它们之间的相互协调在项目经理和部门经理的层面上进行。这样的一种组织结构,虽然易于分清各自之间的责任,但同时也可能存在部门内部结构臃肿,协调链

条长的弊端,且公司的资源基本是不均衡的分散在不同的项目经理部之间,公司的对外形象很大程度上依赖于各项目经理部内在实力的体现和发挥,且这种表现还随着项目经理部掌握的资源的变动而具备不稳定性。这样的局面,并不能完全体现公司的整体实力和水平。

从建筑承包企业长远发展的角度来看,要想在激烈的国内外市场竞争中获得优势地位,就必须改进原有的总部和项目之间的组织结构。强调总部和项目之间的配合协调,集中优势资源,充分实现其在公司总部及项目之间的流动和优化配置,从而抹平项目之间的实力差异,从组织结构上保障公司的稳定发展和形象的整体提升。

与责任工程师制相适应的组织结构,在公司层面上,就是将项目经理部和资源支持部门之间的项目型组织结构,转变成均衡矩阵组织结构:在做强项目经理部的同时,强化总部的资源支持力度和职能监督控制力度;同时,总部资源支持部门作为归口部门,横向深入项目内部对相应岗位和人员进行统一协调管理。

具体而言,对资源支持部门,专业人员集中管理,有助于形成资源中心,有利于专业经验积累和技术水平提高,有利于业务培训和人事管理,也有利于保证专业工作质量;对于项目经理部,有利于项目经理对项目实施直接领导,便于项目的管理和控制,有利于集中专业人员进行项目攻关,便于项目成员的沟通和协调;及时处理有关问题和矛盾,有利于客户联系,及时满足客户要求,有利于合同执行和项目目标的实现。

此时,资源支持部门的主要职责是根据项目要求,保证选派和调配合格的专业人员;组织进行评审和审核,保证工程质量。项目经理的主要职责是负责项目实施全过程的管理,考核评价项目经理部成员的工作业绩。

(2)项目层面的组织结构(强矩阵组织结构,图2)

责任工程师制项目管理模式是以成本为核心的责任负责制。与该模式相对应的项目组织结构是强矩阵型组织结构。该组织结构与以往的以职能单元划分为基础的职能型项目组织结构不同的是,它重

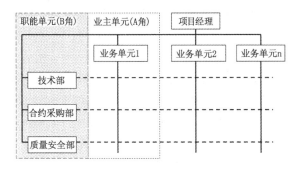

图2 项目层面的组织结构

点突出了业务单元的主体责任，弱化了职能单元的作用。

在该组织结构形式下，每一个业务单元就是一个责任主体，它涵盖该业务单元范围内的所有职能，包括技术、成本、进度、物资、质量、安全等全部内容。它的特点在于责任主体明确，管理线条清晰，便于成本和目标的分解和控制，这也就是责任工程师的实质。

业务单元可以根据项目的实际情况按分部分项工程、施工区域、专业类别等进行划分，同时根据不同的施工阶段进行调整。但基本划分的原则是，责任界面明确，做到既不相互交叉也不遗漏。业务单元的责任主体可以是一个责任工程师也可以是一个责任工程师团队，具体应根据实际工作量确定，其作为本业务单元的A角，负责相关业务的组织、协调和决策；当业务单元为一个责任工程师团队时，应设主责任工程师岗位负责本业务单元的牵头组织工作。业务单元的岗位特点，要求责任工程师具备较强的综合素质和多方面的工作能力。多方位、多渠道加强、加速责任工程师的培养，对于提高公司人才储备和提升公司整体实力具有战略性的意义。

职能单元是公司总部资源支持部门在项目的延伸，为业务单元提供职能服务和资源支持；职能单元也作为相关业务的B角，按公司规定的管理原则和程序对业务单元实施专业监督和控制。职能单元设置时，应充分借助公司总部的资源支持和服务能力，精简项目职能单元

的岗位和编制；同时，还应考虑将相近业务和相关业务系统整合。

(3)公司总的项目组织结构

图3是公司层面和项目层面两个不同强弱程度的矩阵组织结构的组合，反应了公司总的项目组织结构。总部资源支持部门对项目的横向参与，体现了总部对项目的支持，有利于专家型人才的培养，体现了人员的归口管理和流动，是做强做大总部的基础。项目内部弱化职能单元，强化业务单元的直线管理，使得责权利更加明晰。

3.责任工程师制项目组织结构的特点

转变传统的直线职能制结构为矩阵制的组织结构；业务单元设置考虑项目规模与施工阶段；职能单元设置考虑与公司总部业务互动，资源共享；倡导各业务单元人员自身具备相应的技术能力；倡导将物资采购(价)与物资管理(量)职能分离；倡导强总部，精项目，提升总部的支持服务能力；倡导以成本为中心的目标管理；倡导以人为本的管理理念；鼓励优秀员工轮岗锻炼，倡导换岗也是提拔；倡导统一度量衡基础上的创新；倡导培养理念先进、技能全面的综合型项目人才。

4.责任工程师制项目经理部岗位设置

(1)项目班子设置原则

项目经理：必设岗位，作为项目的A角，全面负责项目各项业务的组织、协调和决策。

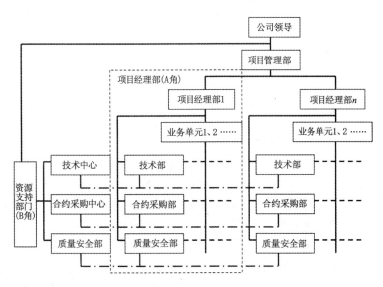

图3 公司层面和项目层面矩阵组织结构的组合

项目合约商务经理：必设岗位，作为项目B角，协助项目经理管理合约商务工作，并履行项目内部约束机制职能。

项目总工：必设岗位，同时兼任相关的职能单元的相应工作。

项目副经理/土建经理/机电经理/XX经理：非必设岗位，当相近的业务单元较多时，可考虑设置业务类经理进行综合协调。

(2)业务单元设置原则

业务单元可以根据项目的实际情况按分部分项工程、施工区域、专业类别等进行划分。

业务单元的责任主体是责任工程师，其作为本业务单元的A角，负责相关业务的组织、协调和决策。

责任工程师应具体承担本业务单元的技术、现场、物资、合约、成本、质量、安全等相关职责。

每个业务单元可以是一个责任工程师也可以是一个责任工程师团队，具体应根据实际工作量确定。

当业务单元为一个责任工程师团队时，应设主责任工程师岗位负责本业务单元的牵头组织工作。

(3)职能单元设置原则

职能单元是公司总部职能在项目的延伸，为业务单元提供职能服务和资源支持。

职能单元也作为相关业务的B角，按公司规定的管理原则和程序对业务单元实施专业管理。

职能单元设置时，应充分借助公司总部的资源支持和服务能力，精简项目职能单元的岗位和编制。

设置职能单元时，应考虑将相近业务和相关业务系统整合。

三、责任工程师制项目管理模式的运行保障

1.制定相应的管理标准

制定不同工程类型、不同规模的项目组织结构设置和人员配置标准；制定不同工程类型、不同施工阶段的项目业务单元的划分标准；制定项目各岗位人员管理目标责任书标准；制定项目工作界面划分标准和业务流程；制定项目各岗位人员的岗位说明书标准；制定项目责任单元考核标准和激励措施标准。

2.以成本控制为中心的全员全过程管理

项目成本管理方式就是要同时控制项目的前端和末端，做好开源节流；开源就是要加大对业主的二次经营力度，积极创造项目的收益空间；节流就是引导分包实行"限额领料、损耗包干、节约奖励"，共同控制项目制造成本，利益共享；项目成本控制强调责任主体清晰，资源配置合理，倡导"全员参与，过程控制，注重细节，讲求实效"。

3.建立健全项目人才培养机制

通过新老结合的"传帮带"的方式，让员工在不同的业务单元进行实践，丰富经历、积累技能；换岗本身就是提拔；安排业绩优秀者进行换岗，系统提升项目管理能力，条件成熟者给予晋升；实行矩阵制的人才培养模式，项目经理部有人才培养和梯队建设的重要职责；项目员工的上司应关注下属、培养下属、引导下属成长，项目考核应包括人才培养考核指标；通过目标责任体系，给人以信任，给人以责任，促使员工共同关注项目实施绩效。

4.建立健全项目考核和激励机制

针对业务单元和职能单元的考核和激励要区分对待，突出重点，兼顾公平；对业务单元的考核要以业绩为主导，重点评价其组织协调资源的能力；对职能单元的考核应以360度考核为主，重点是评价其支持服务能力；项目激励应将精神激励和物质激励相结合，以正向激励为主，负向激励为辅；在保证完成项目总体利润目标前提下，对节约成本，创造超额利润的责任单元，提取一定比例进行奖励。

四、结束语

通过全面推行责任工程师制项目管理模式，努力降低项目成本，加速人才培养，打造和谐团队，营造和谐环境，使广大员工在公司提供的广阔事业平台上与公司共同进步和共同成长。

通过全面推行责任工程师制项目管理模式，使公司实现经济效益和社会效益的双丰收，在激烈的市场中超前半步，赢得机会，致力于成为行业的创新者和领先者。

综上所述，推行责任工程师制是创新项目管理模式的一种行之有效的办法，可以从真正意义上促进建筑企业又好又快发展。⑤

汽车博物馆型钢混凝土结构钢筋施工方法浅谈

（中国新兴建设开发总公司，北京 100039）

王宏婧

一、工程概况

汽车博物馆共有五层钢骨柱、钢骨梁，其中钢骨柱分为转换钢骨柱和非转换钢骨柱，钢骨梁分为放射性转换钢骨梁、放射性非转换钢骨梁和普通钢骨梁。钢柱为焊接十字劲性柱和 H 型钢，钢骨梁为工字钢和 H 型钢，材质为 Q345B，劲性柱截面规格为 HW400×200×20、HW400×150×20、HN300×150×6.5×9，钢骨梁为 I1 000×200×30×40、I900×300×40×30、I800×200×30×40、HN300×150×6.5×9 等截面规格。

根据设计要求，本工程钢结构需分段制作并运输至现场安装。本工程钢骨梁分为放射性转换梁、放射性非转换梁和连接外廊边梁，综合考虑现场所布设塔吊的起重能力及现场的周边条件，本工程 15m 长度以内的钢梁可以整榀运输至现场后直接吊装，大于 15m 长度的钢梁（GkLA5、GkLA16），为防止运输途中的变形，可在加工厂加工成两节、运到现场后，进行拼接安装。并且由于现场安装要求，放射性转换梁下需要带出一定长度的牛腿，以便安装下层的转换钢骨柱。

钢柱的分段根据塔吊的起重能力进行分节，考虑运输问题，原则上按照每节钢柱长度不超过 15m。本工程钢柱分为转换钢骨柱和非转换钢骨柱，两者的分段方式各不相同，转换钢骨柱按照自然层一节进行分段，考虑结构吊装的需要，每节钢柱分节点尽量设在同一标高；非转换钢骨柱按照 2 层一节进行分段，共分成 3 段，首层钢骨柱在 -0.200m 处进行生根，首层为一根：10.38m，二、三层为一根：12.34m，四、五层为一根：10.83m。

二、深化设计

钢结构与土建施工的配合、工序的交叉和穿插一直就是施工部署安排中的重点，同时也是施工过程中的难点。

针对这个重点和难点，我们经过深入的讨论和研究，决定对每个钢骨柱、钢骨梁的节点部位进行深化设计，确定钢筋和型钢之间的位置关系、钢筋绑扎的顺序和钢筋穿钢骨时的穿孔位置，以保证在安装完钢骨梁、钢骨柱后钢筋绑扎能顺利进行，钢筋标高位置准确，确保梁有效截面满足荷载要求,从而确保结构的安全。

1.深化设计原则

根据设计图纸、现行工程施工验收规范要求及现场实际情况和设计院的要求,通过我们和三杰钢结构公司的协商和讨论,由我们进行本工程型钢混凝土钢筋节点深化设计,确定钢构件上的穿筋孔位置,再由钢结构公司根据设计确认的钢筋节点深化设计图进行翻样,进行钢结构构件深化设计和加工、制作、安装。

通过我们多次与设计院和钢结构公司的沟通,确定了钢筋节点设计的原则:

(1)节点梁钢筋不得在型钢柱翼缘板上开孔穿过节点,采用在型钢柱腹板开孔或绕过型钢柱穿过节点。梁钢筋与型钢柱翼缘板相交处的连接采用增设连接节点板,并在节点板处与梁钢筋焊接,焊接采用双面焊接,焊接长度不小于 $5d$(d 为钢筋直径)。

(2)梁两端节点处同一根钢筋均需要焊接的,要采用钢筋代换的方法进行,钢筋代换的原则如下:$1\phi32$ 及 $1\phi28$ 钢筋均用 $2\phi25$ 代换,$2\phi32$ 钢筋用 $3\phi28$ 钢筋代换,$2\phi28$ 钢筋用 $3\phi25$ 钢筋代换,$1\phi25$ 钢筋用 $1\phi28$ 钢筋代换。其余部位与型钢柱翼缘相交的梁钢筋或节点处钢筋较密集部位的梁钢筋可以采用 HRB400 钢筋与节点板焊接。

(3)材料:HRB345 钢筋采用 E50 焊条焊接,HRB400 钢筋采用 E55 焊条焊接,钢筋连接节点板采用 HRB345 钢,其中直径 32、28、25 钢筋焊接的节点规格分别为 220mm×190mm×16mm、220mm×170mm×16mm、220mm×150mm×16mm,二层及以上各层节点板规格分别为 170mm×190mm×16mm、170mm×170mm×16mm、170mm×150mm×16mm。节点板与型钢柱翼缘连接采用等强焊缝连接。

(4)由于型钢混凝土混合结构,在钢构件安装和钢筋绑扎方面一直都存在着较大的困难,为了使现场钢筋绑扎方便,穿过型钢柱或型钢梁钢筋的开孔,我方曾建议现场安装后,钢筋绑扎时根据现场的实际情况进行现场开孔,但设计院鉴于现场开孔的制作及质量都与工厂加工有很大区别,要求必须采用工厂提前加工的办法,现场不得打孔。这样,我们考虑了钢筋绑扎实际操作不可能像电脑放样那样准确,再加上节点部位纵横向几道梁交叉,多层梁钢筋

的穿插,钢筋位置会有一定的变化,所以工厂制孔与现场孔径比较如下:直径为 32、28、25 的钢筋,按钢筋直径加 10mm;有粘结预应力筋孔径为 100mm;其余钢筋按钢筋直径加 8mm。

(5)节点处由于梁钢筋要尽可能绕过钢骨柱的位置,钢筋必然要打弯,钢筋间距不易保证。梁端最上层或最下层钢筋水平间距要求不大于 200mm,超出的,我们采用增设一根与梁主筋同规格的钢筋,长度为 1 000mm,不需弯锚;有型钢梁的柱钢筋间距要求不大于 200mm,超出的,增设一根与柱主筋同规格的钢筋,长度为下层型钢梁上皮至本层型钢梁下皮净距,不需弯锚。

(6)节点穿型钢梁、柱的钢筋弯折较多、钢筋较密,造成较长的钢筋不易通过穿孔位置,因此我们在穿孔部位附近增设Ⅰ级套筒钢筋连接接头。

(7)型钢柱与型钢梁相交处的型钢柱之水平加劲板(梁翼缘平面上下各一道),在加劲板中部各开设 $4\phi42$ 的孔(十字柱每个角一孔),以便于梁钢筋无法通过时在支座处进行锚固,并做排气孔,以便浇筑密实。

(8)型钢梁柱节点在上下柱处,如上下柱有竖向加劲板,影响梁水平钢筋通过时,柱竖向加劲板仍需按相应节点深化设计图中的腹板穿孔位置开孔。

(9)如钢柱与钢梁连接处钢梁翼缘局部加宽,影响柱钢筋通过时(超过 $R=325mm$ 时),需在钢梁上下翼缘局部加宽部位各开制 $1\phi42$ 孔。详见图1。

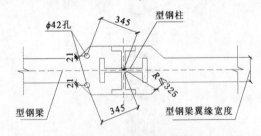

图1 钢梁翼缘局部加宽

根据以上原则,我们将各层的钢骨柱、钢骨梁节点进行编号,分层绘制各个节点的深化设计图,包括钢筋绑扎的顺序、交叉梁的各层钢筋标高、梁钢筋穿钢骨柱的穿筋孔位置、梁拉钩穿钢骨梁的位置等。做到设计深化,考虑现场绑扎、焊接的可操作性和现场可能遇到的问题,做到尽量方便施工及指导施工的作用。

2.不断优化设计

以首层的16号节点为例综合进行说明,详见图2。

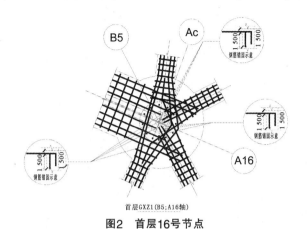

图2 首层16号节点

图2为施工蓝图中的型钢柱、型钢梁节点钢筋放样图,是设计给出的建议做法,我们便组织技术人员、工长及劳务队的技术人员和工长,针对设计给出的做法进行讨论,认为设计提出的做法并不十分可行,由于五道梁交叉,梁筋标高不可能在同一层上,按此设计Ac轴的两道梁为一个标高,其他三道梁分别为三个标高,这样节点处梁顶上层钢筋就要分四个标高,有的梁上铁还是两排筋,这对钢筋绑扎、保护层和梁的有效截面的控制都很不利。还有多根钢筋在型钢柱附近进行锚固,实际操作很困难,锚固位置不可能像放样这样精准,有可能由于钢筋的交叉、偏位,致使有些钢筋无法锚固到位。

由于以上原因,我们通过改进、不断优化设计,解决了原先存在的问题,梁顶上层钢筋只分两个标高,能通的钢筋尽量通,通不过的采用弯锚、直锚、焊接等不同形式解决,并增加各个剖面的设计,将此节点的钢筋设计修改如下,详见图3~图5。

本工程每层六七十个型钢柱、型钢梁的钢筋节点,由于节点形式、钢筋布置几乎每层每个节点都不一样,所以一至五层每个节点均需进行深化设计。每个节点的深化图都包括节点平面钢筋

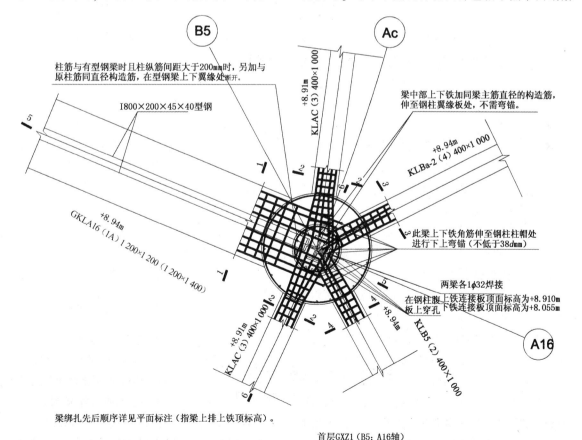

图3 节点钢筋设计图

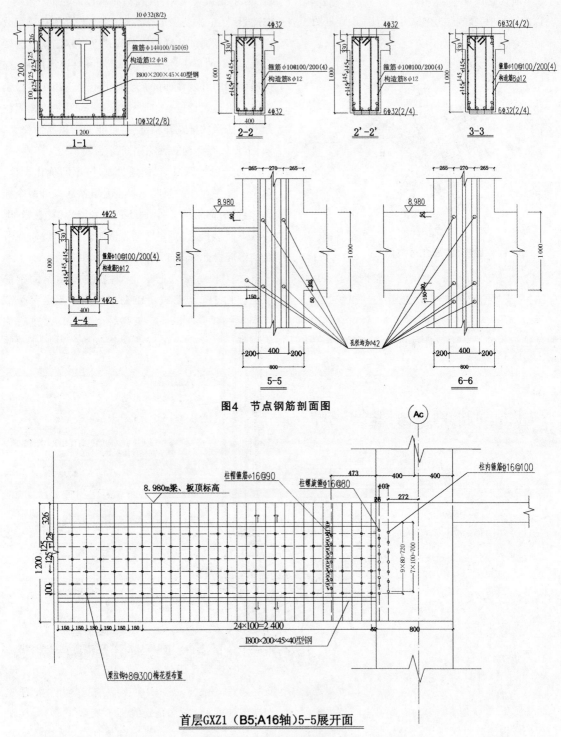

图4 节点钢筋剖面图

首层GXZ1（B5;A16轴）5-5展开面

图5 节点钢筋展开面

钢骨位置图、各方向梁钢筋的纵剖面图、节点钢筋剖面图以及钢骨柱、钢骨梁的立面展开图等，以保证最大限度地符合实际，便于施工，真正解决现场问题。

3.深化设计与现场实际情况对比(参见图6~图14)

我方依据钢筋节点深化设计图对到场的所有型

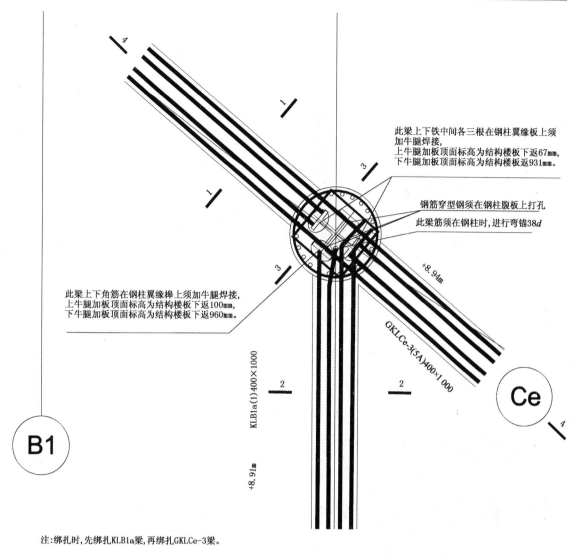

此梁上下铁中间各三根在钢柱翼缘板上须加牛腿焊接,
上牛腿加板顶面标高为结构楼板下返67mm,
下牛腿加板顶面标高为结构楼板返931mm。

钢筋穿型钢须在钢柱腹板上打孔
此梁筋须在钢柱时,进行弯锚38d

此梁上下角筋在钢柱翼缘榉上须加牛腿焊接,
上牛腿加板顶面标高为结构楼板下返100mm,
下牛腿加板顶面标高为结构楼板下返960mm。

KLB1a(1)400×1000

GKLCe-3(5A)400×1000

+8.94m

+8.91m

B1

Ce

注:绑扎时,先绑扎KLB1a梁,再绑扎GKLCe-3梁。

首层GXZ1

图6 首层1号节点平面图

钢柱、梁,按批次、部位、编号逐一进行复查,钢筋穿孔位置正确的方可进行安装。

三、现场施工

通过实践我们发现,此部分的深化设计对现场施工起到了很大的指导作用,由于节点部位钢筋密集且复杂,钢筋节点深化设计图对现场钢筋绑扎人员来说是最实际的指导,有利于工人提高施工效率,避免返工浪费。

但在施工初期我们也发现了一些问题。刚开始进入型钢节点的钢筋绑扎时,一个节点部位十

几个工人要一个星期才能完成,施工一度缓慢,同时还出现劳动力流失的现象。我们就此问题专门组织了公司领导、技术骨干以及基层施工人员召开了专题会议予以解决。我们了解到,由于节点钢筋复杂、多为φ25以上的粗钢筋、施工难度较大、工人操作技能低、对深化设计图不理解等原因,造成施工效率降低,完成成品时间增加,比起简单部位的钢筋,绑扎同等吨数所花费的时间约为3~4倍,工人积极性下降,甚至畏难不干,造成劳动力更换频繁、大量流失。如此问题得不到解决,将陷入恶性循环,造成整个工期目标无法实现。

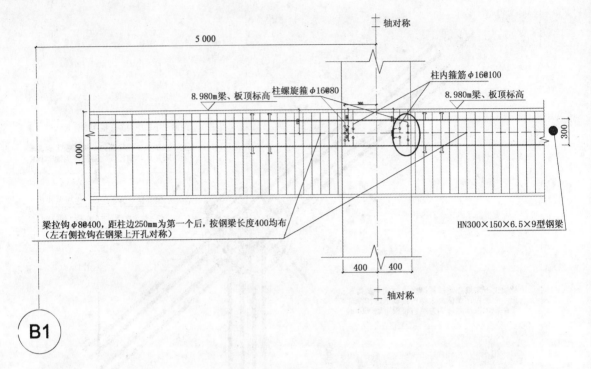

图7 首层1号节点展开面

首层GXZ1 4-4展开面

图8 首层1号节点实物

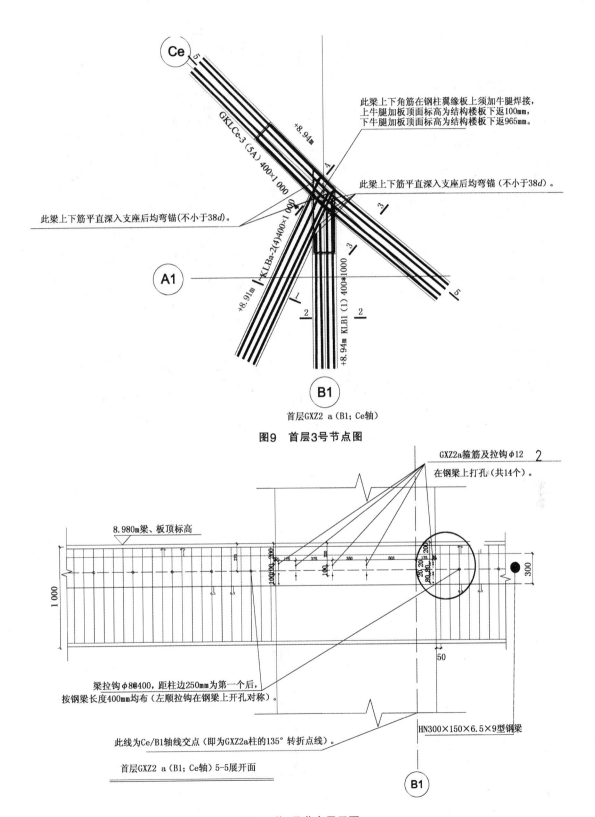

图9 首层3号节点图

图10 首3号节点展开面

图11 首层3号节点实物

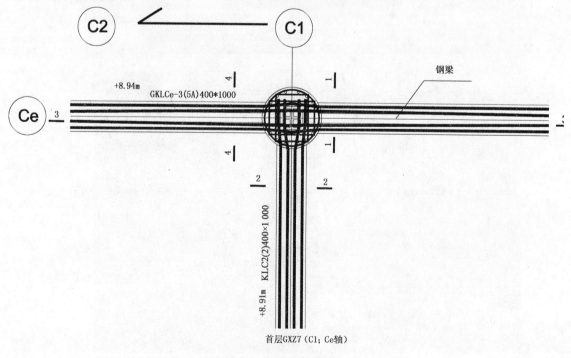

图12 首层6号节点图

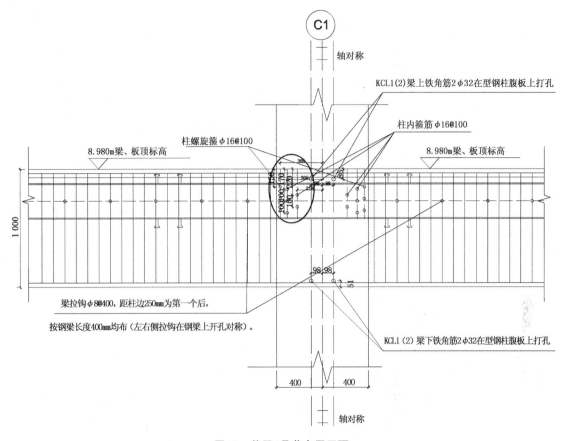

图13　首层6号节点展开面

图14　首层6层节点实物

图15 柱梁节点钢筋绑扎(1)

图16 柱梁节点钢筋绑扎(2)

图17 转换梁钢筋绑扎

通过分析原因我们找出以下几点对策:

(1)针对工人操作技能低,就更换了一批技术水平较高的工人,按工程的流水段将他们分成6组,每组负责每层固定的流水端施工,以提高他们绑扎相应节点的熟练程度,从而提高各段的施工速度。

(2)针对节点复杂,工人对深化设计图不理解,我们组织各班组长进行学习,由技术人员负责对各

图18 1 200mm高预应力梁钢筋绑扎

个节点进行交底及讲解,使班组长能够正确识图,了解深化设计图中的内容及施工顺序,再由班组长对其下属工人进行交底和指导,以帮助工人理解图纸、了解如何正确有效施工。

(3)为提高工人积极性,以根据节点绑扎难度按天绩效的方法取代了原来按吨绩效的方法,大大促进了工人的生产,也避免了劳动力的流失。

经过调整,施工进度及精度都有了大幅提高,同时我们还加强了施工过程的管理。在节点梁钢筋绑扎时,几名技术人员分别负责不同段的现场检查和指导工作,对绑扎顺序、钢筋直径、位置、间距、连接形式、钢筋上下铁及二皮铁标高、锚固长度、焊接长度等进行逐一检查,以保证节点部位质量。对绑扎过程中出现的问题及时制止、给予指导,避免工人干错以及干错后造成大量的返工和材料浪费。详见图15~图18。

四、施工成果

结构施工期间区政府到工地视察时,对我方的施工质量给予了很高评价,并特别强调如此复杂的结构,柱梁钢筋十分密集,现场施工质量、施工进度区政府都很满意,中国新兴不愧为建筑企业中的王牌军。

汽车博物馆等两项工程被评为结构长城杯金奖,并得到五个精的好成绩,在节点及梁钢筋绑扎中,一次绑扎合格率为100%。连专家们都认为汽博工程的土建结构,特别是型钢混凝土的施工质量及感官效果都很好,给予了我们很大的肯定。🅡

绿地科技岛商业项目工程进度管理浅析

（上海绿地集团技术管理产品研发部，上海 200063）

周海龙

摘　要：随着商业建筑在近几年中建设规模的扩大，大型的 CBD 项目，对于如何在商业、办公、酒店甚至住宅等多种业态中保持工程进度的快速推进，已经越来越引起业界的关注。本文结合上海绿地集团开发建设的科技岛项目，浅析在进度管理中的探索与实践，以供参考借鉴。

关键词：大型 CBD 项目，工程实施阶段的控制，工程进度管理措施

　　上海绿地集团科技岛（以下简称科技岛）是上海西南部地区标志性建筑之一，方案设计为国际知名的马达思班（MADA spam）。科技岛项目自 2006 年 4 月开工以来，建设工程的管理一直处于良性有序的状态，项目实现了"当年拿地、当年开工、当年销售"的目标。由于该项目的区位优势明显，定位构成合理，加之在实施过程中对进度的有效把控，因而为前期所制定的总体目标奠定了坚实的基础。目前就比较时尚的商业 CBD 项目，在商业、办公、酒店甚至住宅等多种业态中保证工程进度快速进行，已经越来越引起业界的广泛关注。在此结合具有代表性的科技岛项目，浅析

商业项目工程进度的具体管理经验。

一、工程概况

　　绿地科技岛项目位于上海市闵行区，地理位置处于核心政务区（COD）范围内，紧邻莘庄立交桥，周边有三条高速公路（A4、A8、A20），两条轨道交通（1 号、5 号），与火车南站、虹桥机场等交通枢纽形成便捷的交通通道，地理位置十分优越。

　　项目建设用地面积为 2.4796hm²，总规划建筑面积为 95 808m²（其中整体式地下室 21 000m²），地上共由四部分组成，分别为甲级写字楼（27 层，34 888m²）、两栋 LOFT 办公楼（分别为 14 层、13 层，13 870m² 和 13 078m²）和部分商业用房（3 层，12 551m²），其中甲级写字楼总建筑高度为 114.8m，

工作节点	A楼(甲级写字楼)	B楼(LOFT)	C楼(LOFT)	商业二期	商业一期
土地取得	2006.01.20 摘牌				
进场	2006.02.17(2006.04.28 举行开工典礼)				
压桩完成	2006.05.20	2006.07.25	2006.07.25	2006.06.15	2006.04.15
开挖完成	2006.07.12	2006.09.14	2006.09.28	2006.08.05	2006.05.10
正负零	2006.08.15	2006.11.03	2006.12.05	2006.09.20	2006.05.30
销售节点	2006.12.05(18层)	2007.02.03(9层)	2007.03.29(8层)	2006.10.30(3层)	2006.06.18(2层)
结构封顶	2007.02.01(27层)	2007.05.01(14层)	2007.05.24(13层)	2006.10.30(3层)	2006.06.18(2层)
幕墙完成	2007.06.30	2007.07.30	2007.07.30	2007.01.15	2006.08.15
竣工验收	2007.12.29				
交付物业	2008.01.15				

外立面设计采用简洁明快的玻璃幕墙。

二、工程进展主要节点

为实现工程的开盘和竣工目标,工程实施阶段的进度控制节点见表1。

三、进度管理中的具体措施

(一)准备工作阶段

1. 创造有利条件提早进行施工准备:2006年春节刚过,公司领导主动与政府相关部门和原业主沟通协调,争得其支持,在2月17日管理人员及土石方设备便顺利进场。

2. 进场后工作展开:进场后一方面对原有的人员安置、现场堆积的物料、办公用房及设备等历史遗留问题进行了快速处理,为项目的顺利开展创造有利的外部环境;另一方面,在尚无设计图纸的情况下,先期进行清除杂草树木、回填明暗浜、探明原有建筑物基础并全部清除破碎,修建道路临舍,及查勘周边管网等准备工作。同时,工程管理人员与政府相关部门协调,完成临水、临电的前期配套工作。到3月底,现场已经具备全面开工的条件。

(二)技术设计工作阶段

1. 从设计上为工程施工提供条件:为便于快速开工,技术设计部将整个项目按平面划分成三个部分,按着工程的施工顺序分阶段进行设计出图,以满足现场基础先行的施工要求。并现场落实准备进行

基础施工工作,使各种施工机械均现场待命,以最快速度响应工程的开工命令。

2. 在施工过程中加强设计协调:在项目管理上安排了专职人员同设计单位进行沟通协调,及时了解设计进展和工程的变更情况,以便随时调整工程进展和施工组织。通过设计工作的事前控制,为设计与施工的衔接配合节约了大量时间。

3. 为节省工期,在支护结构设计中采用了多项技术可行的方案:例如在基坑设计中,8m多深的基坑采用了重力式挡土墙加钢斜撑,同时对周边土方进行有条件卸载,以便降低开挖深度,在保证安全的前提下,比传统的钢筋混凝土支撑结构体系方案缩短了工期。

(三)工程主体施工阶段

1. 配备了人员齐全、分工明确的组织管理体系:在项目工程管理上,配备了5名项目管理者。合理的分工有效地促进了项目的建设进度。同时集团公司和上级部门多次亲临现场指导,对项目的现场管理组织起到了极大的推动作用。

2. 工程控制重点依据工程进展不断调整:项目管理工作围绕销售节点开展,分别由商业一期交房、商业二期主体封顶、甲级写字楼18层结构、LOFT 9层主体结构等节点组成了整个项目进度控制的主轴线,有计划地不断调整施工管理的控制导向。

3. 加快售楼处建设:为保证销售工作的顺利提前展开,要求售楼处(1 179m²)必须及早交付。2006年4月中旬工程桩施工,4月下旬开始基坑围护施

工,5月10日开始基坑开挖施工,6月18日达到主体封顶,9月13日正式投入销售使用,为9月底正式展开销售工作创造了基础条件。

4.确保临电、临水等供应:协调各种有利因素,为施工创造正常进行的条件,确保大批临时设施不影响主体施工。例如,因现场设备集中施工,所借用600kVA配电设备不能满足要求时,在工程上一方面向电力部门申请新的用电供应,另一方面租用大功率发电机组,避免在施工阶段因电力供应不足而影响工程进度。

5.对压桩、围护、土方等分项工程的施工进度计划进行细化:为便于各工序的提前插入及顺利交叉作业,对以上几项具体工作的进度控制细化到天,管理人员将每天的工作部位和数量详细标注于图纸上,在安排开挖时起到了重要的总体协调作用。

6.各项施工计划依据现场实际状况不断调整:对关键线路施工计划采取绝对控制,特别是各单体的结构封顶节点。在充分了解现场状况的前提下,对工程进度进行调整优化,做出最符合现场实际的调整变更方案。同时,对于各项施工计划的变动内容,在事前与各个参与方进行认真交底沟通,确保各项计划的贯彻执行。截至2006年11月份,总体时间控制计划已经进行了八次调整优化。

7.确保材料、设备及时供应和进场:由于工期紧凑,设备到货安装时间集中,材料和辅助构件需求量大,工程管理将此作为基础控制的重点,在与各参建单位主动沟通、超前计划的前提下,当外部条件变化时迅速进行沟通协调,有力地保障了各阶段工作的推进速度。

8.加强验收及相关手续的办理:作为项目节点工作完成的标志,主体施工完成封顶后,项目工程管理人员便制定了详细的手续办理计划,并安排了一位人员专职进行办理,在公司领导的直接指挥和协助下,2007年12月完成了所有的验收并拿到了全部相关手续文件。

四、进度控制中的不足及教训

在以上各种方案措施的综合利用下,各单体的进度得到了较快的推进,但组织过程中也暴露出一些问题,在此列举部分如下:

1.基础开挖过程中,外运淤泥含水量较高,影响了周边环境,并被政府相关部门进行了处罚。主要原因是开挖中遇雨天来不及进行必要的排水处理而马上进行开挖,部分深井点位因受设备位置的影响而

与集团计划工期相对照　　　　　　表2

工作节点	一般类似工程施工指导工期	科技岛实际工期(甲级写字楼)100m,27层	科技岛实际工期(LOFT B写字楼)75.2m,14层
开工(开始压桩)	0	0	0
正负零	165	140	125
结构封顶	390	300	300
外墙落架	540	450	390
交付使用	660	570	540
累计	22个月	19个月	18个月

难以布置到位,从而致使开挖土方的含水量过高。

2.文明施工标准要求不高:由于多个工序交叉施工(甲级写字楼在基础施工期间5 000m²场地范围内有十几台大型设备同时作业),现场场地管理表面看有点混乱。后期配套景观施工期间,分属不同单位的多台挖掘机在现场同时施工也产生这种局面。

3. 对LOFT工程施工难度认识不足:该结构形式较为复杂,单层施工耗时较长,特别是空调板结构大大制约了整体进展,整体控制时间与原计划相比产生了较大偏差。

五、进度总结及对照

1. 与集团计划工期相对照:类别:高度100m,建筑面积9.5万 m²,商办综合体,见表2。

从表2中工期相比可以看出,整体提前3个月。

2.与对业主承诺对照:公司销售合同确定交房时间为2008年6月底,实际工期提前约5个月。

3.与自控计划对照:项目部在不考虑假期及天气影响的情况下,计划为2007年11月底完工,考虑到假期及天气因素,时间基本吻合。

六、质量综述

项目管理在以进度作为控制主轴线的同时,并没有忽视质量把控。经过一年半的建设,在工程进度基本达到原定目标的同时,项目的质量控制也达到了较高的标准,具体对照见表3。

七、结论

大型商业项目的工程进度管理是一个大的系统工程,需要参与各方共同努力协调完成。但对于具体的各项实际事物的管控,需要我们按照统筹学的原理充分利用参与各方的资源去解读和深化,达到工程进度管理目标的优化和创新,实现目标和效益的统一。⑥

质量控制与目标对照　　　　　　　　表3

单 体	合同标准	实际评定
甲级写字楼	一个单体"白玉兰";两个单体"区级优质结构"	甲级写字楼"白玉兰";甲级写字楼"市级优质结构";B、C"区级优质结构"
LOFT B 楼		
LOFT C 楼		
商业部分	优质结构标准	"区级优质结构"

土方开挖局部塌土的预防及处理措施

高 强[1]，张 健[2]

（1.北京正远监理咨询有限公司，北京 100071;2.北京城建五维市政工程有限公司，北京 100039）

摘 要：在暗挖施工当中，利用小导管超前注浆加固地层，是一项很成熟的施工技术。但在现场实际实施过程中，由于受到各方面因素的影响，施工过程当中还会出现局部塌土现象，严重时还会出现比较大的塌方。那么如何能够减少塌土避免塌方现象呢？这就要求我们首先要制定合理的施工工艺，其次要有熟练的操作技术工人，最后还要制定严格的检查监督制度。

关键词：土方开挖，塌土，预防，处理措施

一、洞室局部塌土的受力情况分析

根据洞室开挖后的应力分布图：从图1所示的受力情况分析可以看出，图上阴影部分是应力比较大而且相对集中的地方。这些地方正好出现在开挖断面的拱部和拱脚部位。所以洞室开挖后，在架立钢格栅前或架立钢格栅过程中，容易发生塌土现象。

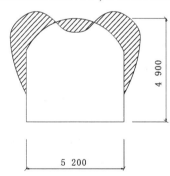

图1 开挖后洞室周边的应力分部图

二、局部塌土的预防及处理措施

图2分别为拱部和拱脚发生塌土现象后的情况示意。

1.拱部塌土的预防

拱部塌土预防的最好方法是，保质保量地施作超前小导管，并完成小导管超前注浆，真正达到固结土体的作用，开挖土体时起到栅护的作用。保证施工

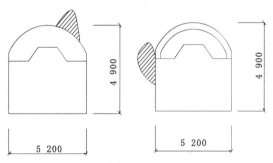

图2 拱部塌土部位示意图

安全，保证相邻建筑物的安全。

下面是在拱部初支施工过程中几个重要工序的施工方法及保证措施。

（1）土方开挖（图3）：开挖进尺每榀 0.5m，采用人工开挖。在纵向连接筋的部位挖出小孔洞。土方开挖时，首先开挖速度要快；其次要严格控制欠挖，避免在架立格栅时再处理欠挖而耽误时间；另外开挖面要平整、圆顺。

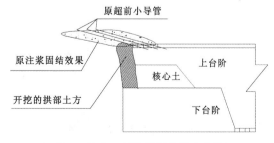

图3 步序1:开挖拱部格栅土方图

(2)架立钢格栅(图4):格栅间距0.5m一榀,按中线、水平定位后,在格栅拱脚下垫木板固定。然后焊纵向连接筋,安设内外钢筋网片。钢格栅定位,主要利用激光指向仪,再使用钢尺和垂球配合放线,定位速度比较快。

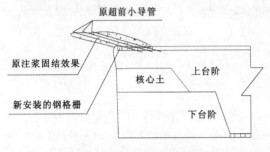

图4 步序2:架立拱部格栅钢架图

(3)预埋小导管、喷射混凝土(图5):喷射混凝土前先把小导管按设计位置临时固定在格栅当中,喷射混凝土完成后,在混凝土终凝前把小导管打入到设计位置。小导管长度1.70m,间距0.3m,每榀格栅一打。打入有效长度1.0m,导管上注浆孔开设范围1.0m。

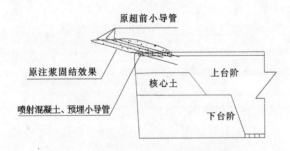

图5 步序3:预埋小导管、喷射混凝土图

(4)打入小导管后的注浆(图6):浆液采用改性水玻璃,酸碱度:3~6。水玻璃稀释后的浓度:10~20Be';硫酸稀释后的浓度:8%~15%。注浆后凝结时间:5~30min。注浆设备主要采用牛角式注浆泵。

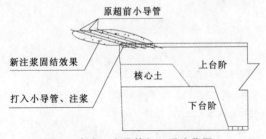

图6 步序4:小导管打入后注浆图

在现场实际实施过程当中,由于受地质条件、施工工艺、操作工人技能、操作人员责任心等条件的限制,有时还会出现塌土现象。如果赶上地质条件很差时,可能出现比较大的塌方。

所以要在每个环节上引起高度重视。首先,要认真分析地质资料,并且做好现场探测,真正掌握一手资料。其次,根据现场的实际情况,制定切实可行的施工工艺。特别是注浆浆液配比的确定尤为重要,它直接关系到固结效果的好坏。再次,一定要加强操作工人的岗前培训,择优选用有技能、责任心强的操作工人上岗操作。最后,要建立监督检查制度,层层把关,确保每道工序的施工质量落到实处。

2.拱部塌土的处理措施

根据经验,拱部塌土一般出现在砂土地层中,特别是在细砂或粉细砂中最容易出现。一旦出现塌土情况,要马上进行处理。一般采用的方法是(图7):快速封闭掌子面,分别埋设注浆管和回填注浆管,向塌空体内进行回填灌注砂浆或混凝土,直至灌满为止,然后再向塌方体内注水泥水玻璃双浆液,完全固结塌方土体,避免向前开挖土体时,再引起塌方。

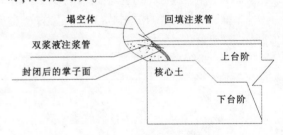

图7 拱部塌方处理图

3.拱脚塌土的预防

拱脚正好处在顶拱和边拱的结合部位,受力比较复杂。而且这一部位都没有超前小导管。此处的土体在开挖顶拱格栅土体和打锁脚锚杆时,已经被扰动过一次,当开挖边墙格栅土体时,等于是第二次被扰动。所以此处的土体也比较容易坍塌。

此处塌土的预防措施(图8):主要从土方开挖方法来控制。具体做法是:利用分部开挖法开挖边墙格栅土方。开挖一部分,及时封闭一部分。首先把顶拱和边拱相接处的土体开挖到设计位置,向边墙内打设简易钢筋小锚杆,挂设钢筋小网片,快速喷射混凝土封闭开挖面。然后再依次开挖其余部分土方。待

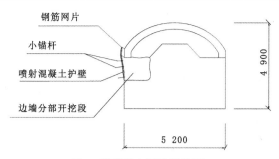

钢筋网片

小锚杆

喷射混凝土护壁

边墙分部开挖段

4 900

5 200

图8 拱脚塌土预防措施图

整个边拱格栅土方开挖完成后，再安装边拱格栅。这样处理就不会引起塌土。因为开挖面积小，掌子面封闭及时，防治塌土效果好。

4.拱脚塌土的处理措施

拱脚塌土的处理方法与拱部处理方法基本一致。

三、提高人员因素在预防塌土方面的控制措施

1.严把劳务队伍进场关

暗挖施工，施工难度大，技术含量高，风险大，施工条件差。没有一定的暗挖施工经验的施工队伍是不能胜任此项工作的。项目部在选择劳务队伍时，作了充分的调查研究，经过再三比较，层层筛选才确定出最终的施工队伍。经过施工竖井和廊道的进一步培训和考验，使得参与施工的每个队伍都能够完全胜任自己的工作。通过实践证明，这种决策过程是非常必要的，方法是正确的，为进入主洞施工创造了必要的条件。

2.走出去请进来采用多元化管理

项目部组建成立后，为了更好地满足工程施工的需要，先后从各兄弟单位调入和聘用了多名有经验的技术和行政管理人员，进一步加强了项目部的管理力量。另外，建立健全了各级安全和质量保证体系，使项目部的日常工作能够在有条不紊的条件下正常进行，给基层作业队创造了较好的施工环境。同时还经常组织技术和管理人员到相邻的暗挖施工单位参观学习，取长补短，在学习过程中不断地积累暗挖施工经验。

3.群策群力集思广益

在现场各项施工工艺的确定、机具设备的选择、施工方法的运用方面，项目部都能够听取各方面的意见。实事求是，不搞一言堂式的管理，没有绝对的权威。不论是一线的作业工人还是项目部的领导，在科学的事实面前人人平等，任何人没有调查研究都没有发言权。让每一个参与施工的人员都能够积极主动地投入到暗挖施工的研究当中去。

四、现场试验提供了预防塌土的保证措施

由于地下施工、地质条件千变万化，如果只是一味地照图施工，是不能满足现场实际施工需要的，必须要做到岩变我变。但在变化时，如何能够做到科学合理，又能不违反设计意图？唯一的方法只有经过实践检验。在竖井和廊道近三个多月的施工过程当中，进行过许多次现场试验。其中包括：小导管的长度、布设距离和管径试验，确定了小导管长度为1.70m，管径为内径$\phi25$，每榀格栅一打的施工方法，很好地控制了塌土现象；小导管注浆浆液配比的试验，确定了注浆浆液以改性水玻璃为主，以水泥、水玻璃双浆液为辅的注浆固结方式，加快了施工速度；潮、湿喷对比试验，确定了潮喷在现有施工条件下使用的合理性，充分保证了施工进度的要求，真正做到了快封闭，不给塌土留下隐患。

最后强调一点，要想保证开挖土方不塌土，除了上述注意事项外，人的质量意识也是很重要的，特别是直接参与施工的组织者、指挥者和操作者。人作为控制的对象，一定要避免产生失误。作为控制的领导者，要充分调动人的积极性，发挥人的主导作用。为此，除了加强政治思想教育、劳动纪律教育、职业技能专业培训、健全岗位责任制外，还需要根据工程特点，从确保质量出发，从人的技术水平、人的主观错误行为等方面来控制人的使用。禁止无技术资质的人员上岗操作，对不懂装懂、图省事故意违章作业的行为必须及时制止。对施工的各个环节进行严格的控制，建立健全质量管理制度。质量监督机构对施工中的各个工序严格把关，发现一个问题，解决一个问题，让工程始终处于可控状态，这些都是控制塌土的有效方法和措施。⑪

美日德大型建筑企业成长经验分析

◆ 杨 莹

（中国社会科学院工业经济研究所，北京 100836）

美国、日本和德国三国是世界建筑业强国，它们的建筑企业起步早，发展相对成熟。每年世界工程建筑行业权威刊物 ENR（Engineering News Record）以企业营业收入为排名依据评选的全球建筑企业 225 强中，这三国都有大批企业上榜。在几十年的成长历程中，这些大型建筑企业曾经经历经济大起大落的波动，并在此过程中成功实现了企业规模与业绩的可持续增长，这些企业应对经济波动的一些成功经验可以供当下中国建筑企业借鉴参考。

一、三国建筑业发展简史

回顾美、日、德建筑业的发展简史，可以了解三国大型建筑企业的成长背景。

1.美国

美国建筑业是从 20 世纪 20 年代起迅速发展的，那时的铁路建设带动了全国建筑业的发展。尽管 20 世纪 20 年代末的经济危机给美国经济以致命的打击，但随后的罗斯福新政却带来了转机，数目庞大的政府公共建设项目让建筑业转危为安。随后的二战给建筑企业提供了兴建各类军事设施的机会。战后美国经济持续发展，承建各类工厂、民宅、高速公路、桥梁等让建筑业持续繁荣。到 20 世纪 70 年代中期，世界范围的经济危机让美国建筑业发展出现了些许停滞，但企业们开始转向海外，尤其是在中东地区的石油产地，为当地兴建炼油厂、化工厂等项目。20 世纪 80 年代，在里根政府"经济复兴计划"的推动作用下，美国的经济走势好转，建筑业继续发展。一直到 2001 年的"9.11"事件，美国经济再次出现衰退，建筑业市场亦出现持续的波动和萧条。2003 年下半年美国经济开始复苏，建筑业也逐渐摆脱萧条。然而，2007 年爆发的次贷危机再次带给美国经济沉重的打击，衰败的房地产业更是直接影响了建筑业。到目前，次贷危机的影响仍在继续。

将近百年的时间里，美国的建筑业随经济几度大起大落。在此期间，美国建筑业市场管理体制如质量管理体制、投标招标制、工程造价机制等都发展到了较为完备的阶段，建筑企业也在不断发展中掌握了较高的技术水平，具备了强劲的国际竞争力。总的来说，美国建筑业市场是自由度十分高的市场，行业垄断度低，各建筑施工企业之间竞争激烈，这与美国的自由型市场经济十分契合。

2.日本

日本建筑业主要是在二战之后开始发展的。二战后一直到 20 世纪 60 年代，日本经济处于恢复阶段。重建战争中被破坏的公共基础设施和工厂是这期间日本建筑业的主要任务。在美国的技术支持下，日本建筑业在工业企业建筑方面发展很快。20世纪60年代到70年代初期，是日本建筑业发展的鼎盛时期，此间住宅建筑迅速发展，超高层建筑大量建成，建筑业技术也位于世界水平前列。20世纪70年代初期之后，尽管受到石油危机及世界范围经济危机的影响，日本经济仍然保持了低速的增长，建筑业也处在较稳定的发展状态，技术水平、质量方面都有所提高。20世纪到80年代末，日本泡沫经济破灭，日本开始进入十数年的经济疲软阶段，1997年的亚洲金融风暴更是雪上加霜。此间建筑业也逐渐陷入困境，建设投资不断减少，大型企业营业额减少，企业倒闭总数逐年增加。一直到2003年，日本经济才逐渐复苏，建筑业也稍有起色。然而，2007年美国的次贷危机扫荡了日本的金融市场，使日本建筑业同经济一起陷入低迷状态，目前影响仍在继续。

日本建筑业没有经历像美国那么多的波折，顶峰和低谷为数不多，在好几个阶段都是连续多年保持较平稳的状态，这样更有利于建筑业自身的发展。日本的建筑业拥有大批技术型的劳动力以及先进的建筑施工技术。但是，总的来说，该市场是一个高度封闭的市场，市场内的各关联企业互相依赖、渗透，已经形成了一个完整的体系。其苛刻的建筑行业法规、繁琐的手续，以及对建筑抗震设计的特殊要求等，令外国企业难以进入；即使进入，也难以扩大业务范围。而在这个封闭市场内部，则是另一个本土企业激烈竞争的世界了。

3.德国

德国建筑业与日本类似，在二战结束后成为重建社会、恢复经济的"领头产业"，不论是民宅建设还是基础设施、工业企业建设都经历了一个高增长期。在20世纪70年代的石油危机引发的"滞胀"中，德国没能幸免于难，建筑业遭受了沉重的打击。不过德国建筑业却以此为契机调整产业结构，通过一系列兼并和重组，使资本向少数大企业集中，随后大企业开始开拓海外市场，带动国内行业发展。1990年，民主德国和联邦德国统一，东部基础设施

和居民住宅建设的巨大需求，以及政府对建设投资的增加，导致建筑业再次繁盛。然而，繁荣只是短期的。随着东部经济重建工作完成，政府财政转移支付力度减少，同时西部住宅需求下降，整个国内市场出现萎缩，建筑业供给能力过剩，发展停滞不前。从1994年开始，德国经济一直萎靡不振，建筑业也开始了长达十几年的衰退期。直到2005年，德国经济缓慢复苏，建筑业的销售收入也出现低百分比增长。直到现在，德国经济仍处于缓慢复苏状态。美国次贷危机和欧元升值似乎并没有给德国带来太大的影响，但是经济的低迷仍是不争的事实，同时，国内建筑业也是持续低迷。

虽然原因不尽相同，但德国建筑业的发展起伏与日本颇为相似。长时间较为稳定的发展使德国建筑企业在技术、融资和项目管理等方面有很强的优势。20世纪70年代的战略性结构调整对德国建筑业来说尤为重要，它造就了一批一流的大型企业，并造就了良好的产业结构。调整之后，德国的建筑业形成了由少数大公司集团组成第一梯队、大多数中小企业组成第二梯队，二者并存的两大板块。这种双板块结构能够使不同规模的企业优势互补，形成有序竞争的市场。这也是德国建筑业的长处所在。

4.总结

对比美、日、德三国建筑业的发展简史，可以发现这三国建筑业都随国民经济的波动产生同向的明显起伏。它们都有过因经济繁荣而快速发展的高峰时期，也有过因经济衰退而一蹶不振的低谷时期。在这些经济波动中成长起来的建筑企业须得有一身"真功夫"才能保证自身不被市场吞没。

目前来看，美、日、德三国的经济都处于危机或低速发展状态。尽管如此，在2007年ENR的全球225强评选中，这三国依旧有大批企业上榜，并在前50强中占据了20个席位。这不能不归功于各大型建筑企业的强势经营。

二、三国大型建筑企业成长经验

在ENR评选的2007年全球建筑企业225强榜单中，排名在前50的美、日、德企业有美国的柏克德（Bechtel）、福陆（Flour Corp.）、凯洛格·布朗·路特

(KBR)、日本的大成(Taisei Corp.)、日挥(JGC Corp.)、德国的豪赫蒂夫(Hochtief)、比尔芬格伯格(Bilfinger Berger AG)等。这些企业几乎个个都有近百年的历史,有几家甚至创始于19世纪末,可以说是与本国经济同成长、共进退的典范。

1.成长阶段分析

虽然各国的建筑业历史不尽相同,但三国的大型建筑企业,尤其是百年企业,其成长发展的阶段有一定的相似之处。基本来说,可以分为以下四个阶段。

(1)初期草创

以上提到的几家企业,柏克德创始于1898年,KBR为1919年,福陆为1912年,日挥为1928年,而大成和豪赫蒂夫均始于1873年。除了日挥的政府背景浓厚外,其余几家均为民营。在草创阶段,企业们完成了资本的原始积累,并在阶段末具有了一定的声望。

企业完成积累的手法各有不同。一些企业重点承接政府的市政工程、基础设施项目。如大成建成日本第一条地铁——浅草至上野地铁、KBR为得克萨斯州修建水坝等。政府的项目一般资金雄厚,有利于提升企业声誉,还有利于增进企业与政府关系。另一些企业则专注于专业领域的建设。如日挥修建炼油厂、化工厂;福陆也主要在石油和天然气建设领域运营。这对企业提升该专业领域的技能很有帮助,这些专业领域也在很长一段时间内成为企业的主营方向,有的到现在仍是。

(2)快速成长

草创阶段之后,各企业进入快速成长阶段。这个阶段通常都处在本国经济稳定、高速发展的大背景下。例如,在美国是20世纪40年代的二战时期到1975年的世界石油危机;日本较长一些,是1945年二战结束到20世纪80年代末国内泡沫经济破灭;德国则是1945年二战结束到1975年世界石油危机。基于国民经济与建筑业相辅相成的关系,在此期间,各国的建筑业也得到了稳定、高速的发展,这是各建筑企业成长的黄金时期。在阶段末,各企业基本已经担当得起"大型企业"的称谓了。

快速成长的过程中,各企业承接了大量项目,大大提升了自身的业务施工、项目设计、项目管理等技术能力。随着企业规模变大,组织结构也逐渐发展以适应内外环境。这两项在之后的成长重点分析中将作详细介绍。同时,企业规模变大也导致战略问题开始浮出水面。各企业开始有计划地采用各种战略手段增加市场份额、扩大市场领域。

(3)扭转逆境

发展不可能总是一帆风顺,逆境的出现终结了企业的快速成长阶段。这里的逆境指的是整个行业出现的整体危机,而不是指企业自身经营不善等微观层面问题。逆境通常都发生在国民经济的低谷时期。比如1975年的石油危机大大影响了美国和德国的建筑业,而日本泡沫经济破灭则对日本建筑业打击巨大。对于各建筑企业来说,逆境意味着巨大的风险和机遇,要么就扭转逆境一飞冲天,要么就急转直下销声匿迹。

在石油危机中,日挥和豪赫蒂夫抓住了石油输出国对建筑业有巨大市场需求这一机遇,大量拓展海外业务;福陆通过并购等进行内部结构调整。而泡沫经济之后的平成大萧条时期,大成通过战略调整进行转型。这在之后的"三国大型建筑企业应对经济波动的主要经验"中有详解,此处不再赘述。总之,逆境是企业成长中重要而不可或缺的一环,上面提到的几家企业,无不是通过扭转逆境,才达到世界一流水平的。

(4)稳健成长

经历逆境后,企业发展得更加成熟。跻身国际建筑企业前列后,企业向上的发展空间再不像前几个阶段那么大,在高手云集、竞争激烈的环境下发展也不像之前那么容易了。此时企业做的,通常是在保持已有水平、在剩下的发展空间中努力争取更多份额的同时,进行业务、结构等方面的调整和完善,以实现稳健的可持续成长。

例如,豪赫蒂夫加强对客户服务和环境的关注,进入新的业务领域;日挥改革自身的管理模式和经营方针,并收缩已有业务;福陆将自身拆分成两家独立公司,以在不同领域更好地发展等。

此外,经济波动是很正常的,逆境不会只出现一次。企业在稳健成长阶段,总是在不断积蓄力量应对下一次的逆境。因此,最后的"扭转逆境"和"稳健成长"这两个阶段其实是交替出现、循环产生的。

2.成长重点分析

在各阶段,组织结构和技术能力是随企业一起成长、成熟的。它们是企业的成长重点,是企业的坚硬内核。而在目前,经历长时间的发展,这两项已经成为企业的核心优势,并为企业的行动提供动力和支持。良好的组织结构和强大技术能力是企业屹立不倒的根基。唯有根基扎实,企业才能基业常青。

(1)组织结构

大型企业都是从小企业一步步发展而来的,组织结构是随规模扩大而产生的。作为业务众多且基本都在国际市场上大有作为的大型建筑企业,结构庞大是理所当然的事实。如何合理地进行统筹,保证各方一致又不至于浪费资源甚至发生冲突,是企业所需要关注的。事业部制适用于产品种类多样面向市场广阔的企业,许多国际大企业采用的都是这种结构。而大部分大型建筑企业也都采用事业部制组织结构或矩阵式的管理方式。

日挥公司是典型的事业部制结构。在企业领导层之下,有九个以部或室相称的职能部门,如经营战略室、监查部、管理总部、财务总部、营业统括本部、品质安全环境室等。与职能部门并列的,就是各事业部了,包括第一工程本部、第二工程本部、国内工程本部、工务统括本部和技术统括本部,第一、第二工程本部之下再细分石油工程、能源工程、环境新工程、生命科学工程等事业部。在营业统括本部下面,也有工程营业本部、新事业推进本部、企划本部和海外负责经营的各事务所。总体结构复杂而紧密。

豪赫蒂夫目前的组织结构亦是典型的事业部制。在总部的统一管理下,分设了机场、开发、美洲、亚太和欧洲五个事业部,同时与事业部并列的有金融管理部、人力资源部、财务管理部、法律管理部、审计管理部、研发管理部等职能部门。

柏克德公司总部下设工程开发部门和职能管理部门。工程开发部门下再分设专业公司和地区代表处。职能管理部门则是通常的策划、市场开发、人力资源、财务等。在公司进行工程项目时,采用的是矩阵制管理模式,职能部门和作业区域共同管理项目。

这种矩阵制管理需要很大的协调统筹能力,是柏克德公司的优势之一。

对比来说,日本企业比较强调总部控制,欧美企业则强调各事业部的分权。尽管如此,他们都采取了类似的事业部制结构。

(2)技术能力

技术能力是建筑企业的基石,也是企业发展的推动力。它通常是随时间积累的。技术能力包括企业的施工技术能力、项目设计能力、项目管理能力、安全管理能力、信息化管理能力等。上文提到的大型的建筑企业们经过长时间的发展积累,在技术能力方面自然均有过人之处。

例如,豪赫蒂夫的技术研发和风险控制能力堪称一流;它还十分注重客户服务;并坚持可持续发展的原则,考虑建筑物的整个生命周期,对自然和社会环境负责。大成在日本亦以能力著称,具有完备的目标管理体系及信息化管理平台;它的项目管理是由本部和支店人员共同完成,按照总部统筹、各部门协调而职责不交叉的模式良好运行;作为日本建筑企业,大成在安全管理方面也十分出色。福陆有良好、稳定的财务状况,这使得它在资本市场上有很好的融资能力;它的健康、安全、环境管理系统(HSE)包含了国际最高标准,在业界处于领先地位。凯洛格·布朗·路特在项目管理和信息化管理方面也以技术闻名,尤其是信息化管理方面,它的管理系统具有强大的整合、优化不同系统数据的能力,大大提高了管理效率。

在技术能力之中,特别需要提出的是设计能力。如今的国际建筑市场上,管理-采购-施工(EPC)合同越来越成为主流。而对于公路、水利等大型公共设施建设项目,建设-经营-转让(BOT)和建设-拥有-经营-转让(BOOT)的方式也倍受青睐。这些新趋势,无不需要建筑企业具有较强的设计能力。

大成拥有非常强大的工程项目设计能力,它开发了最佳设计支持系统软件,可以根据建筑物的结构形式、所在地区等迅速拿出最佳设计方案,大大提高了设计效率。福陆、豪赫蒂夫都能提供从开发到运行维护甚至拆除的"一站式"施工建设服务。其他大部分的大型建筑企业也都能够接手这些类型的项目。

在这方面,ENR 也有一个全球建筑设计企业 150 强榜单可以参照。在 2008 年的榜单中,福陆、柏克德、凯洛格·布朗·路特、豪赫蒂夫、日挥均排入前 50。在与专业设计公司竞争中仍能上榜并取得靠前的位置,足见其水平不俗。

三、三国大型建筑企业应对经济波动的主要经验

对照三国建筑业发展简史,可见在三国大型建筑企业发展的过程中,都经历过几次大的经济波动,它们成功地度过了这些波动并发展到了现在。这些企业弥久愈坚、屹立风霜不倒的经历很有学习价值。企业在经历逆境时,通常会进行一定的战略调整。成本领先、差异化、目标集中、一体化、多样化、市场开发、剥离业务,这些都是可以应对危机的战略措施。不过,对几家大型建筑企业在经济波动中的表现进行归纳分析,可以得出,在本国遭遇经济衰退、建筑业陷入低谷时,它们通常使用的都是多元化和国际化的战略调整。

1.进入新领域——多元化

德国建筑业巨头豪赫蒂夫在多元化方面是很有经验的。20 世纪 90 年代初期德国短暂的建筑业繁荣期过后,建筑业因供给过剩而出现长期衰退。在此期间,豪赫蒂夫开始开发具有更高附加值的服务,如为顾客提供从设计、融资、建筑到运营的"一站式"服务。因此,豪赫蒂夫开始涉足机场管理、软件研发和项目管理等领域。进入新的领域在一定程度上保证了豪赫蒂夫的营业额,帮助其在德国经济疲软时期坚持下来。

日本的大成建设最初的业务是商用建筑和基础设施建设如剧院、体育馆、铁路、机场等。在 1969 年,它进入了民用建筑及房地产领域;1986 年,进入酒店管理领域;到 20 世纪 90 年代,由于日本民众环境意识的加强,社会上出现了排斥"大兴土木"的风潮,此时大成适时设立了环境保护委员会,并在 1993 年建立大成慈善基金和旨在保护自然环境与历史遗迹的大成建设自然与历史环境基金。大成的这一番扎实的多元化助其顺利度过几

次经济危机,同时好几项多元化的业务发展壮大,如今已成为大成的主营业务。

多元化的成功诀窍在于围绕主营业务展开,以及收缩自如。这一点在其他的建筑企业巨头身上也有体现。比如法国的布依格(Bouygues),这家公司也是承建商业建筑和公共建筑起家,从 20 世纪 70 年代起通过组建新公司和并购进入了海上石油建筑、给水排水、道路建设、电视媒体、电信、公共设施管理等多个市场,到 20 世纪 90 年代末,企业决定将重心放在建筑和电信媒体两大块业务上,将其他业务剥离。西班牙的 ACS 公司亦是如此,它的发展史中充满了不断并购和进入新市场,不过在多元化到一定程度之后,它也采取了集中业务于建筑与工业服务、将其他业务剥离的措施。

反观美国的桑达克斯(Centex),在发展过程中沿价值链进行纵向多元化,先后进入上游建筑材料制造领域和下游房地产金融领域。最后桑达克斯终因过度多元化难以快速收缩,并在美国经济波动的影响下大尝败绩,ENR 排名从 2006 年的 11 位跌到 2007 年的 77 位,成为一个多元化的反例。

2.进入新市场——国际化

日本的日挥公司,是比较罕见的国际市场业务多于国内的日本企业。大概在 20 世纪 60 年代左右,日挥开始进入国际市场,1965 年公司加大了国际化的步伐,业务很快扩展到南亚、南美、北非和东欧。在 1975 年的石油危机和世界经济震荡中,日挥公司由于国际业务拓展良好,没有受到太大的影响,反而进一步巩固了在国际市场的地位。而在泡沫经济破灭带来的平成大萧条中,日挥更是彻底投入国际市场,向南美、中东、独联体国家再度扩张,有效而广泛地利用国外资源,在全球成本战中取得领先优势。日挥这种一贯以来的全球化做法让它能比较从容地应对国内危机,而越是在危机时越要拓展国际市场让它在几次国内经济衰退时期不仅全身而退,而且国际地位也不断上升。

豪赫蒂夫同样使用国际化来应对经济低迷。它的国际业务分为美洲、亚太和欧洲三块。2003 年前,豪赫蒂夫的欧洲和美洲业务呈萎缩趋势,欧洲业务更是处于亏损状态,但是亚太地区的业务却创造了

良好的业绩,成为主要创收点。2005年,豪赫蒂夫来自亚太地区的收入占到海外收入总额的72.8%,这对公司起到了重要的支撑作用。

同为德国建筑企业的比尔芬格伯格,在20世纪90年代的德国经济衰退期,也逐渐将海外市场作为自身的战略重点,扩展新的市场空间。比尔芬格伯格的海外市场主要集中在欧洲、美国和澳大利亚,它的几个主要业务如市政建设业务、市政服务板块业务中,海外业务都占了半数以上。

国际化过程中,企业在进入目标市场前需要对市场进行细致的考察,这一点瑞典的斯堪斯卡(Skanska)提供了良好的示范。斯堪斯卡是国际上数一数二的建筑施工企业,它的业务遍及中东、非洲、美国、欧洲其他国家,国际化程度非常高。它进入美国市场时,采用了细致谨慎的方式。它进行了长达十年的限期研究,收购了一家安装公司,八年之后才再度出手,收购另一家从事基础设施建设的公司,接着再渐渐兼并收购其他公司,全面进入美国市场。最终,斯堪斯卡在美国的扩展十分成功,还将此成功模式复制到欧洲其他国家,进一步开拓国际化业务。

关于建筑企业的国际化,ENR评选的国际建筑企业225强很能说明问题。与全球榜单不一样,国际榜单是根据企业上一年国际市场承包收入来进行排名的。在2007年的国际建筑企业225强榜单中,大部分在全球榜名列前茅的美、日、德企业也同样进入国际榜的前列。可见,大部分大型建筑企业都在国际化方面取得了出色的成就。

四、对我国建筑企业的启示

中国的大型建筑企业历史都不长。例如中国建筑工程总公司(以下简称中建)组建于1982年;中国东方电气集团公司(以下简称东方电气)和中铁建设集团有限公司(以下简称中铁建)均创建于1984年;中国铁路工程总公司(以下简称中铁)则是1989年;上海建工集团算历史较长的,也只有50余年。若要对比以上的成长阶段而言,中国的大型建筑企业基本还处在快速成长阶段。

近几年中国建筑企业在国际上的地位迅速上升。2004年起一直到现在,ENR每年都与中国《建筑时报》联合推出"中国承包商和工程设计企业双60强",充分表达了对中国建筑企业的关注。而2008年的ENR全球建筑企业225强中,中国有25家内地建筑企业上榜,比2007年增加2家。其中中铁以212.96亿美元的全球营业收入位列第三,同时,中铁建、中建以及中国交通建设集团(以下简称中交)一起进入前10强。

尽管从表面看形势一片大好,但无论是企业自身还是外部环境,中国的大型建筑企业都存在着一定的问题。

1.企业内部因素

对照上面分析过的成长重点——组织结构和技术能力来看。

在组织结构方面,中国大型建筑企业大多总部之下有职能型部门,同时有若干个多级独立法人的子公司横向联合。例如中建,在总经理之下是人力资源部、财务部、市场营销部、项目管理部等十多个职能部门,同时并列的有中建一局到八局、以及各地的研究院,同时并列的还有驻外机构。再例如东方电气,亦是管理层之下几个职能部门,同时并列的是分子公司。这种结构,旗下分子公司可能发展不均衡,也可能产生互相竞争、资源浪费等现象,上层管理协调的成本也较高。

在技术方面,中国大型建筑企业与国际先进水平差距不大。我国近几年经济发展迅速稳定,适宜建筑企业快速成长,而数量众多的建筑项目使建筑企业的技术能力稳步提高。不过在项目设计方面,我国大型建筑企业仍需加强。2008年的ENR全球建筑设计企业150强中,排位最靠前的中国建筑企业是排名34位的中交集团,整个150强中只有9家内地企业上榜。虽然现在的大型建筑企业也都意识到设计能力对自身的重要性,并大力发展承接EPC、BOT等项目的能力,但还是未达到国际先进水平。

2.外部环境因素

2008年注定是中国经济风云变幻的一年。根据国家统计局7月17日发布的数据显示,上半年我国GDP为13万亿元,同比增长10.4%,总体经济运行见涨。但同时,人民币持续升值;CPI一路飞涨;6、7两月股指一直在3 000点以下的低位段震荡;房地产市场则出现观望风潮。种种迹象显示,中国经济繁荣的表面下隐约呈现着颓败之相。再观世界经济,油价上涨,粮食短缺,美国次贷危机,欧洲欧元升值,全球通胀压境。此时中国的内部、外部经济环境与20世纪20年代美国经济危机时期及20世纪90年代日本的泡沫经济时期都有一定相似之处,有可能会产生大的经济波动。

中国建筑业作为国民经济的支柱产业,此刻也面临着严峻挑战。首先,人民币升值给中国建筑企业的对外承包工程带来不利影响;其次,钢材、水泥等建筑材料价格上涨使建筑行业面临成本上升的压力;再次,股票基金市场、房地产市场的变动,都对建筑业有直接的影响;最后,政府针对经济运行出台的一些宏观调控政策,也势必影响到建筑业的发展——如中央银行加息,会增加建筑业的融资成本和施工压力。而对建筑业的影响最后是必然会体现在建筑施工企业上的。

3.启示

总的来说,处在快速成长阶段的我国大型建筑企业,还有很长一段路程要走。

当下在经济未出现明显波动之际,应当先学习美、日、德大型建筑企业在快速成长阶段的成功经验。例如,调整重建组织结构,逐渐向事业部制结构发展,加强总部的统领能力,协调各部分资源。同时,要在不断承包项目的过程中,发展施工、项目管理、安全管理等技术能力;尤其需要加强设计能力的培养以应对国际承包的新趋势。先培养好这些成长重点,打好根基,才有实力面对以后可能出现的波动和危机。

在将来,若国内经济出现波动、建筑业出现各种状况时,中国建筑企业应该仿效美、日、德三国企业在扭转逆境阶段的战略选择。例如,进入与核心业务相关的新领域,或者加快拓展海外市场。我国大型建筑企业业务的多元化倾向并不显著,基本都集中于某一专业领域,在多元化方面有很大空间。而它们对海外市场的拓展已经初具规模,2007年的ENR国际建筑企业225强中有49家内地企业跻身其中,自然也可更进一步。企业也可以未雨绸缪,现在就进行此类战略决策,为渡过波动和危机早作准备。在扭转逆境之后,保持调整阶段的做法可以继续给予中国建筑企业一定的指导。总之,中国建筑企业要走的路,成熟的美、日、德大型建筑企业都走过,在他们的经验指导下,中国建筑企业必将更平稳、更迅速地达成目标。

注:文中企业名称,尤其是德国、美国企业的中文译名,是根据网络搜索得出的最常用译名,可能与某些文献的译名不一致。⑥

参考文献

[1] 文中排名数据来源于ENR官方网站:http://enr.construction.com/.

住房政策的实践得失和启迪

刘义勇

(北京大学历史系, 北京 100871)

英国的住房政策已有一百多年历史,迄今已较为完善,了解其历史实践得失,对思考解决我国的住房难题,可能有他山之石的作用。

一、三大住房部门和政策实践

按照不同的产权和使用形式,英国有私有出租房、政府提供的社会住房、自有住房的三大住房部门。

20 世纪初,英国政府没有积极干预住房问题,结果是私有出租房占住房总量的 90% 以上,自有住房和社会住房甚少。二战后,政府建房力度空前加入,大量兴建社会住房,并长时间对私有出租房实行抑制政策,至 1979 年撒切尔政府住房改革前夕,自有住房占 53%,社会住房占 31.4%,私有出租房降至 14.8% 以下。撒切尔政府的住房改革又使格局发生重大变化,1991 年,社会住房约为 24%,自有住房上升至 66% 左右;1997 年以后工党政府继续推动这一进程,2004 年自有住房达到 70.5%,社会住房降至 18%,私有出租房为 11.1%。总体看,百余年的住房政策终于基本上化解了严重的住房问题,使大多数人拥有自己的住房。

1.对私有出租部门的政策

一战期间,为保持国内稳定,政府第一次对私有出租房和租金实行控制,规定最高限额。此后这一政策得以延续。二战后进一步加强了房租控制的力度,租金一直处在较低水平。1979 年撒切尔政府执政后,进行改革,如引入短期出租和长期出租两种形式,短期出租可由房东与房客在一定范围内自由协商租金价格。这些新政策逐步放松了租金控制,但私有出租部门所占住房市场的份额并没有明显变化。

2.对社会住房部门的政策

随着大量社会住房的兴建,英国政府逐渐形成了一系列政策。主要包括:(1)中央拨款补助地方政府建房,以改变住房短缺的局面。(2)补贴住房的分配和租金政策。英国有完善的社会住房制度。社会住房申请者必须经过严格审核和巡视员的入户调查,只有生活困难的低收入者才有资格入住。为防止高收入者占用这部分资源,20 世纪 70 年代,英国政府推行"公平租金"制度,提高社会住房租金,困难户则根据其具体情况返还租金。20 世纪 80 年代,在此思路基础上形成了更完善的"住房津贴"制度,以应付改革后社会住房租金的进一步上涨。(3) 社会住房的管理和维修政策。20世纪70年代后,政府实行了社会住房管理的权力下放和住户参与,以改变过去管理者和住户距离过远的问题,并让住户参与到管理中来。(4)社会住房的出售与转让政策。20世纪80年代的"购买权"政策出售了大批社会住房;此后又实行"大规模转让政策",把归地方政府所有的住房转让给住房协会。这既是出于转变政府职能的考虑,同时也配合了社会住房的管理工作。

尽管有社会住房作为保障,英国仍存在一些无家可归者。1977年,政府制定了第一部《无家可归者法》,规定地方政府有责任为"并非有意的"无家可归者提供临时住所,帮助他们最终找到住房。这一政策经过1996年和2002年的两次修改,更加成熟。

3.对自有住房部门的政策

在英国城市中,自有住房长期是少数人的特权,绝大部分人是买不起的。随着大众收入的提高和建房总量的大幅增加,这不再是遥不可及的梦想。二战后,拥有自主产权住房的户数上升。普通人通过直接购买或抵押贷款可获得自有住房。

1980年后,政府采取各种措施鼓励人们购买住房。这也是今日英国住房政策的关键内容。

此外,还有"购买权"、"低成本自有住房计划"和"优先住房行动计划"等举措,帮助"站在自有住房门槛上"的购房者跨过买房"门槛"。"购买权"政策是撒切尔政府住房改革的核心政策之一,它将社会住房出售给其租住者,根据居住时间长短,予以慷慨折扣。1980~1998年,英国政府总共约出售了173万套,使社会住房所占比例下降了十个百分点。"低成本自有住房计划"种类繁多,可分两种模式,一是住房产权由住户和住房协会共同购买,住户可租用另外一部分房屋产权,直至将产权完全买下;另一是直接给住户购房以资金支持。"优先住房行动计划"意在资助一些行业的人员如教师、护士、巴士司机等获得住房。

4.房价问题

房价涨落是购房者最为关心的问题。英国房价从世界范围内看比较合理,目前房价和平均收入比大约是5:1左右。1980年后主要有两次房价上涨,有其教训。

第一次是20世纪80年代中后期,由于撒切尔政府热心推动自有住房的发展,并为之解除各种束缚,包括对金融市场管制的放松,造成房价泡沫。1989年后,大批购房者的住房因欠缴抵押贷款被收回,房价也陡然下跌。当时奉行新自由主义的政府一直没有采取积极干预措施,任其自行发展。危机于1992年达到顶点,住房市场萧条则持续到1995年。

第二次是2001年后房价上涨。为此,2004年凯特·巴克发表了《巴克报告》,主张限制土地所有者的超额利润,增加土地供应,增加对社会住房的投资,刺激地方政府建房的积极性。这些措施被政府采用,取得了一定成效,但房价能否平抑,仍需进一步观察。

购买自有住房无疑是人们的最佳选择,但考虑到现实的制约因素,仍需小心保持三大部门的相对平衡发展。1989~1992年住房市场的大起大落是一个教训。

二、城区改造的多种模式

住房不仅关系到居民生活,也关系到整个社区和城市的面貌。因此城区改造是英国住房政策又一重要内容。城区改造的具体思路非常重要,因为不好的政策构想可能会将改造工程引向死胡同,并造成巨大浪费。英国的城市改造思路经历了很多变化,逐渐成熟和完善。

1.拆除与重建模式

主要针对贫民窟,政府为此投入大量资金,一方面拆除原有住房,另一方面在原址建设新的质量较好的住房。但成本过高,拆除容易建设难,建房远远赶不上拆房。而且它将以前自然形成的较为完整的社区破坏殆尽,引起居民不满。20世纪50年代中期后,这种模式逐渐停止,仅应用于最为破败不堪的地区。

2.住房修缮模式

这是一种更能节省成本的思路。20世纪60年代,政府先后实行了"普遍改进地区"和"住房行动地区"政策,即由地方政府宣布某地为需要改造的区域,然后从中央政府获得拨款。这种方式取得较大成功,但它关注的主要是单个的住房质量,思路仍过于狭窄;同时,中央政府对地方政府几乎是"有求必应",也不利于提高效率。

3.挑战基金模式

它自20世纪70年代末开始实施,中央政府不再有求必应,而是依据地方政府的表现来予以拨款,意在加强地方政府之间的竞争和提高资金使用效率。但后来保守党政府依据它发展出一种企业管理的改造思路,过于强调经济效益而忽视了服务质量,因而没有得到广泛认可。

4.统一改造基金模式

以往城区改造的一个重要缺陷是各种改造基金之间缺乏协调,非常零散,没有一盘棋的思维。为此,1994年,政府设立"统一重建预算",将这些基金合而为一,使改造任务更为有序地进行。

5.反社会排斥模式

反社会排斥政策首先强调各部门合作。它认为住房难不是一个单一的问题,而是与教育、就业等问题紧密相连的,因此解决之道也应是由住房部门和教育、卫生、就业、治安等部门来互相协作,统一完成。同时,它非常强调社区和进行文化改造的作用,认为社区是一个完整机体,改造工程不能打乱它的运行机制,而是要利用它来形成更好的社区文化氛围,使被社会排斥者通过社区重回主流社会,不仅改造住房质量,也要改造受排斥者的思想观念,为之创造好的环境;不仅单单让他住上一套体面住房,也要促使他将这种好的状况保持下去。不过,经改造后的住房没过多久,又重回原样的情形并不少见,其中原因就在于没有处理好居住者受社会排斥的问题。这是一个正在探索中的思路。

三、他山之石的启示

我国人口数量庞大,又处于工业化、城市化引发的巨大的社会变动中,住房问题必将长期突出。虽然国情不同,英国住房政策及其得失仍有可参考价值。

1.英国长期注重住房立法,使政策依法而行

尤其是近年来,英国议会几乎每年都颁布一部专门的《住房法》。好处是立法前有较多思考,政策有法可依,不至于失去准则,朝令夕改。加强立法,而非单纯依靠行政手段,对我国解决住房问题有启迪意义。

2.市场调节和政府干预

英国经验教训表明市场经济是大势所趋,其中有好的住房市场,也有坏的住房市场,而坏的市场是既得利益和暴利者的天堂。以有力的政府措施来保障市场的良好运行,非常必要。购买和租赁住房的方式方法多样化,也有助于化解住房问题。另一方面,英国政府在一战后和二战后的住房困难高峰时期注重投资建设住房,对化解住房问题发挥了重要作用,此后才减少政府作用,但迄今也没有完全停建公房。

如何根据实际情况,积极发挥政府干预作用以稳定社会,值得深思。

3.建立必要的住房保障制度

英国目前的社会住房约近20%,还有给生活困难者的住房补助,同时,社会住房的准入制度非常严格。英国为发放住房补助制定了租金和房价的"可承受能力"(affordability)标准,即月租金约占户主当月净收入的25%,自有房月抵押贷款偿还额约为户主当月净收入的40%。若过多的住户负担超出此标准,则表明住房政策的失败。英国的经济适用房不仅由政府出资修建,同时要求开发商在建房利润较高的情况下附带修建一批经济适用房,承担一些相关的社会责任。对于我国公房较少,经济适用房准入制度不严,缺少住房协会等有助于化解住房问题的住房组织的情况,这些英国经验值得参考借鉴。

4.城区改造与化解社会问题相结合,采用综合治理办法,其中得失也值得研究

中国与发达国家在社会经济发展上有差距,要量力而行,在借鉴别人经验的同时,也要注意其教训,还应有创新,形成系统的、制度化的和适合国情的住房政策,这是建设和谐社会所必需的。⑤

现浇钢筋混凝土结构施工
常见问题解答（三）

◆ 陈雪光

（中国建筑标准设计研究院，北京 100044）

二、柱

1.当有抗震设防要求的框架柱与框架梁的混凝土强度等级不同时，节点核心区混凝土是否可以按框架梁混凝土强度等级浇注？

有抗震设防要求的框架节点核心区在水平地震力影响下，内力很复杂并要承担很大的剪力，很容易发生脆性的剪切破坏，当框架梁与框架柱混凝土强度等级相差较大时，采用框架梁混凝土的强度等级浇注节点核心区，会造成节点核心区斜截面抗剪不足，不能保证"强柱弱梁节点更强"的设计思想。在地震发生时也不能保证结构的安全；通常可以按混凝土强度等级差 5MPa 为一级的原则处理节点核心区混凝土的浇注问题：(1)当混凝土的强度等级不超过一级或不超过两级，但是节点四周均有框架梁时，可按梁的混凝土同时浇注；(2)混凝土的强度等级不超过两级，但并不是四周均设置框架梁时，倘若要同时浇注混凝土，应由设计工程师对节点斜截面承载能力验算符合要求后，方可同时浇注；(3)当不能满足上述两条要求时，节点核心混凝土应按框架柱施工。(4)当为加快施工进度需要同时浇注混凝土时，应与设计工程师协商，加大节点核心区的面积，配置附加钢筋加强对核心区的约束，也是可以同时浇注混凝土的。

2. 有抗震设防的框架节点核心区内钢筋太密集，水平箍筋是否可以不按柱端加密区处理？无抗震设防的框架节点核心区是否可以不设置水平箍筋？

框架结构的节点核心区受力状态是比较复杂的，为使梁、柱纵向受力钢筋有可靠的锚固，节点核心区的混凝土应具有良好的约束作用，所以应配置水平箍筋；有抗震设防要求的框架节点核心区更应保证"节点更强"的要求。节点核心区的水平箍筋不可以随意减少：(1)节点核心区的水平箍筋必须按设计图纸要求配置；(2)无抗震要求的框架节点核心区的水平箍筋配置，当四边均设置框架梁时可仅在节点核心区周边设置箍筋，其他节点按图纸要求设置；(3)有抗震设防要求时，节点核心区应设置复合箍筋。

3.框架结构顶层端节点处，梁上部钢筋与柱的外侧钢筋应如何搭接？国家标准图集03G101-1中有两种做法，应如何选择？

根据我国顶层足尺端节点的抗震性能试验结果，《混凝土结构设计规范》规定两种节点做法，一种

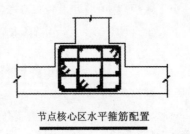

节点核心区水平箍筋配置

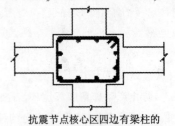

抗震节点核心区四边有梁柱的

图1

为"梁内搭接节点",将框架梁上部钢筋伸至节点外边后下弯到梁下边缘，同时将不少于65%的框架柱外侧纵向钢筋伸至柱顶并水平伸入梁上边缘，从梁下边缘经节点外边到梁内的折线搭接长度不应小于1.5laE（1.5la），当柱外侧纵向钢筋的配筋率大于1.2%时，其钢筋应分两批截断，截断点的距离不宜小于20d；此种连接方式的优点是钢筋的搭接长度小，梁上部钢筋不伸入柱内，有利于施工；对抗震设防为一级及跨度和荷载较大的二级框架宜采用此连接方式。其做法见图2。

另一种为"柱内连接节点"，将柱外侧纵向钢筋伸至柱顶，并向内弯折不小于12d，而梁上部纵向钢筋应伸到节点外边向下弯折，且不小于1.7laE（1.7la）；当柱外侧纵向钢筋的配筋率大于1.2%时，框架梁上部纵向钢筋下弯应分两批截断，截断点的距离不宜小于20d；当框架梁、柱的配筋率较高时宜采用此种搭接形式；其优点是柱顶水平纵向钢筋较少，方便混凝土的浇注，更能保证节点核心区混凝土的密实性。其做法见图3。

4.有抗震设防要求时的钢筋混凝土框架柱，要求在刚性地面上下500mm范围内箍筋加密，如何理解刚性地面？当加密区的箍筋与柱根部加密箍筋重叠时，是否需要重复设置？框架柱的纵向钢筋是否可以在此范围内连接？

刚性地面系指无框架梁的建筑地面，其平面内的刚度很大，在水平力作用下平面内的变形很小，对框架柱有一定的约束作用，《建筑抗震设计规范》对此范围内要求柱箍筋应加密，防止产生剪切破坏造成建筑倒塌；(1)钢筋混凝土、石材、沥青混凝土、及具有一定厚度的地砖地面等都

属于刚性地面。(2)一般的素土夯实和水泥砂浆地面等，对柱的约束很小，不认为上是刚性地面；当室内、外有高差时，应分别计算箍筋加密区的长度；(3)当箍筋与地层柱的柱根部箍筋加密重叠时，不需要重复设置，按柱根部箍筋加密要求合并设置；(4)框架柱中的

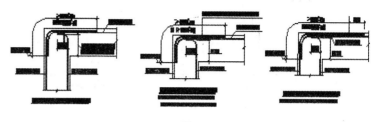

图2

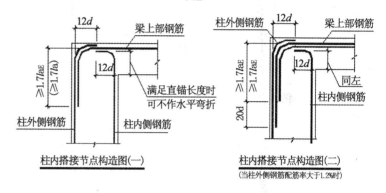

柱内搭接节点构造图(一)　　　柱内搭接节点构造图(二)
（当柱外侧钢筋配筋率大于1.2%时）

图3

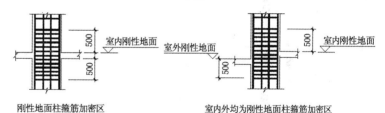

刚性地面柱箍筋加密区　　　室内外均为刚性地面柱箍筋加密区

图4

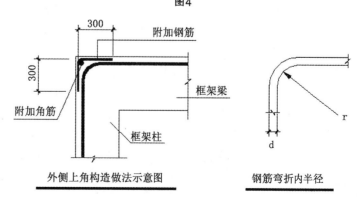

外侧上角构造做法示意图　　　钢筋弯折内半径

注：1.本图说明的部位：当d≤25 r=6d，当d>25 r=8d。
　　2.其它部位：当d≤25 r=4d，当d>25 r=6d。

图5

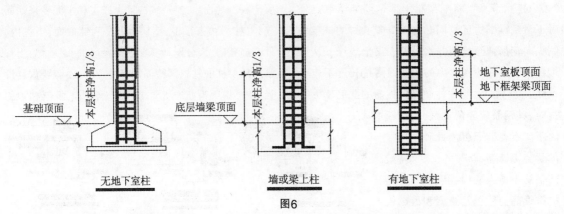

无地下室柱　　　　　　墙或梁上柱　　　　　　有地下室柱

图6

纵向受力钢筋不宜在箍筋加密区连接，当无法避开时，可采用机械连接但接头率不大于50%。

5.框架柱在顶层边节点处,柱外侧的纵向受力钢筋的弯折弧内半径为何比其他部位要大?加大弯折半径后为何还有增加附加钢筋?

在有抗震设防要求的框架中《混凝土结构设计规范》中有明确规定,框架梁上部纵向钢筋及柱外侧纵向钢筋在顶层端节点上角处的弯折弧内半径,根据钢筋的直径不同,而规定的弯折内半径也不同,其目的是为防止节点内弯折半径下发生混凝土局部被压碎;在工程中这个规定经常被忽视,特别是框架梁中的上部纵向钢筋,由于顶层柱外侧纵向钢筋的弯折内半径加大,节点区的外角会出现过大的素混凝土区,因此要设置附加构造钢筋:(1)框架梁的上部纵向钢筋及框架柱外侧纵向钢筋,在顶层端节点处弯折弧内半径,当钢筋直径不大于 25mm 时取 $6d$;当钢筋直径大于 25mm 时取 $8d$;(2) 当框架柱中纵向受力钢筋直径大于 25mm 时,在顶层端节点上角处至少设置 $3\Phi10$ 钢筋,间距不大于 150mm 并与柱筋绑扎牢固,在角部设置 $1\Phi10$ 的附加角筋,当有框架边梁时此钢筋可以取消(见图5)。

6.有抗震设防要求的框架柱,底层柱根部箍筋加密区的高度比楼层大,当有地下室时,是否也从基础顶面算起?

框架柱底层柱根部系指柱底层的嵌固部位。根据《高层建筑混凝土结构技术规程》中的规定,底层柱根以上 1/3 柱净高的范围内是箍筋加密区,其目的是

考虑"强柱弱梁"增强底层柱抗剪能力和提高框架柱延性的构造措施;根据震害调查表明,底层柱根部剪切破坏是造成建筑倒塌的原因之一。底层柱根部的起算位置应按不同的情况分别考虑:(1)当无地下室时,应从基础顶面算起。(2)当有地下室时,底层柱根部系指地下室顶板处。(3)当有地下框架梁时,应从地下框架梁顶面处定为柱根部。(4)当柱从地下室的墙或梁处设置时,应从该处定为低层柱根部(见图6)。

三、梁

1.框架梁中的纵向受力钢筋在端支座内的水平锚固长度,当不能满足直锚而采用弯折锚固时,但水平段的长度不能满足不小于$0.4laE(0.4la)$,是否可以加长垂直端使总长度满足不小于$laE(la)$的做法?

在工程中框架梁中的纵向受力钢筋直径一般会

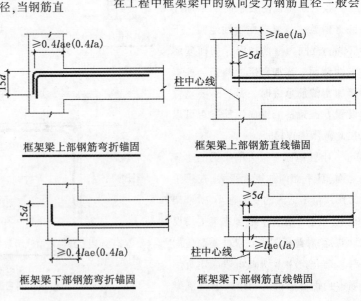

框架梁上部钢筋弯折锚固　　　　框架梁上部钢筋直线锚固

框架梁下部钢筋弯折锚固　　　　框架梁下部钢筋直线锚固

图7

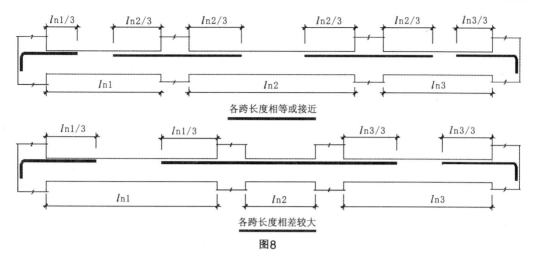

各跨长度相等或接近

各跨长度相差较大

图8

较粗,当端框架柱的截面宽度较小时,钢筋的直线锚固长度均不能满足要求,而采用弯折锚固的方式,根据框架节点试验证明,当水平锚固段不小于 $0.4l_aE(0.4l_a)$ 并伸至柱对边下弯 $15d$,即使总长度小于 $l_aE(l_a)$ 时也可以满足锚固强度的要求;正确的做法:(1)当采用直线锚固时,长度应 不小于 l_aE (l_a) 且过支座中心线 $5d$。(2)采用弯折锚固时,首先应要满足钢筋伸至柱对边的水平长度不小于 $0.4l_aE(0.4l_a)$ 然后下弯 $15d$。(3)当不能满足上述条件时,可采用机械锚固或在满足钢筋总截面面积相同的情况下,减小钢筋的直径使水平段满足不小 $0.4l_aE(0.4l_a)$ 的长度要求。(4)不得采用加长垂直段使总锚固长度满足 $l_aE(l_a)$ 的做法;见图7。

2.框架梁或连续梁的跨度不同时,在中间支座处上部非通长钢筋的长度应如何确定,是否均在本跨净跨长度的1/3处截断?当相邻跨度相差较大时,非通长钢筋应在何处截断?

多跨框架梁和连续梁在中间支座处,上部纵向受力钢筋应向两跨内延伸,延伸的长度通常是根据弯矩包络图来确定的,不等跨的框架梁或连续梁,在相对较小跨度内的跨中也有负弯矩,此时较小跨内的上部纵向受力钢筋如果按本跨净跨长度的1/3截断是不安全的;为施工方便,通常的做法:(1)当相邻两跨

净跨长度差不大于 20%时,梁上部纵向受力钢筋第一排按较大净跨 l_n 的 1/3 截断,第二排在 1/4 处截断。(2)当相邻两跨净跨长度差大于 20%时,也应按较大净跨长度计算在较小跨度内的截断长度;当较小跨度更小时,短跨内的上部钢筋不截断而需要通长设置,施工图设计文件中在此处都应有 "原位标注"注明通长钢筋设置的数量。(3)如图纸中未用"原位标注"注明短跨内的通长钢筋时,应与设计人员沟通避免做法错误(见图8)。

3.在框架–剪力墙和剪力墙结构体系中,与剪力墙垂直相交的端支座处梁中的纵向钢筋应如何考虑锚固长度?是否也有箍筋加密的要求?对于弧形梁在端支座的内的锚固长度应是多少?

与剪力墙垂直相交的梁应为次梁,对有抗震要

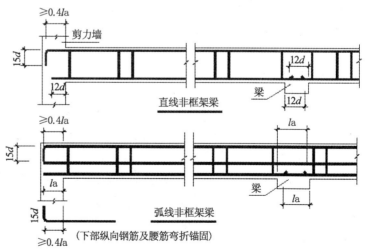

直线非框架梁

弧线非框架梁

(下部纵向钢筋及腰筋弯折锚固)

图9

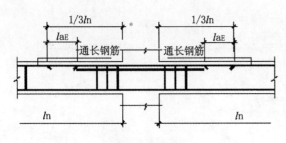

上部通长纵向钢筋搭接

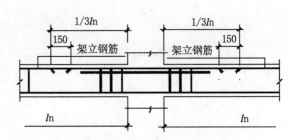

非通长纵向钢筋与架立钢筋搭接

图10

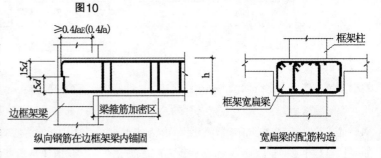

纵向钢筋在边框架梁内锚固　　　宽扁梁的配筋构造

图11

求的结构中其纵向受力钢筋也不需要按抗震构造措施考虑；通常端支座会在墙内设置扶壁柱或暗柱，次梁在支座按简支考虑：(1)下部钢筋在支座内的锚固长度应满足 l_{as} 的要求；上部钢筋不满足直锚时可采用弯锚。(2)次梁中不需要设置箍筋加密的抗震的构造措施。(3) 弧形梁内由于存在扭矩内力，梁内的纵向钢筋在支座内的锚固长度均应满足 l_n 的要求，当直锚长度不能满足要求时可采用弯锚（见图9）。

4.框架梁中的上部设置的纵向通长钢筋，当与支座处的钢筋直径不同时应如何连接？次梁是否也设置通长钢筋？支座上部的受力钢筋与架立钢筋的搭接长度应是多少？

在有抗震设防要求的框架梁中，根据《建筑抗震设计规范》的规定需设置上部通长钢筋，这是抗震构造措施。当抗震设防等级为一、二级时，不小于 $2\varPhi14$ 且不小于两端支座配筋较大面积的1/4；抗震设防等级为三、四级时，不小于 $2\varPhi12$；通长钢筋的面积不应大于支座的钢筋面积。根据 03G101-1 中的制图规则，架立钢筋注写在括号内。(1)有抗震设防要求框架梁中的通长钢筋与支座钢筋的直径不同时，可以采用任何连接方式，当采用搭接连接时可在跨中 1/3 范围内满足抗震的搭接长度不小于 LlE 的要求；(2)次梁及无抗震设防要求的框架梁不需设置上部通长钢筋；支座受力钢筋与架立钢筋的搭接长度为150mm。(3)非通长钢筋与架立钢筋的搭接及既有通长钢筋也有架立钢筋的搭接，架立钢筋的搭接长度为 150mm（见图10）。

5.框架梁的下部纵向受力钢筋较多时，是否可以按国家标准图集03G101-1中的规定部分钢筋不伸入支座内锚固？

国家标准图集 03G101-1 中规定，当梁下部钢筋不伸入支座内锚固的钢筋采用负号表示，应由设计工程师在图纸上明确注写。施工中不得随意截断，特别是在有抗震设防要求的框架梁中，支座附近会有较大的正弯矩，不经设计工程师同意而随意截断，对结构在地震作用下会不安全。国标图集提供的是一种表示方法，对无抗震设防要求的框架梁及次梁，不伸入支座内锚固的纵向受力钢筋，应与设计单位的结构工程师商定：(1)图纸中用负号表示不伸入支座内锚固的下部纵向受力钢筋，但未注明截断位置时可按图集中规定，距支座边缘 0.1 倍净跨长度处截断；(2)框支梁的下部纵向受力钢筋应全部伸入内锚固，不得截断；(3)箍筋角部的纵向钢筋应伸入支座内锚固，不得截断。见图11。

6. 梁中设置的腰筋在支座内的锚固长度应如何确定？腰筋是否可以在跨内连接，连接长度如何确定？

梁中设置的腰筋可分为两种，一种为结构计算所需要配置的抗扭纵向钢筋，与箍筋共同承担梁中

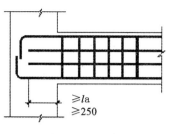

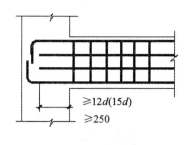

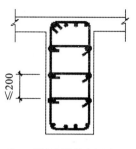

抗扭纵向腰筋在支座内的锚固　　　　构造纵向腰筋在支座内的长度　　　　纵向腰筋最大间距

图12

的扭矩内力,是受力钢筋;另一种是构造钢筋,为防止梁侧面产生垂直梁轴产生的收缩裂缝,两种腰筋设置的主要目的不同,在支座内的锚固长度要求也不同,03G101-1图集中规定用 N 开头表示抗扭腰筋,G 开头表示构造腰筋:(1)抗扭腰筋(N)在支座内的锚固长度不小于 l_a 且不小于 250mm;(2) 构造腰筋(G)在支座内的锚固长度不小于 $12d$,当采用光面钢筋时不小于 $15d$ 且不小于 250mm;(3)在跨内的连接可按非抗震受拉钢筋的连接要求,采用搭接连接时且不小于 300mm(图12)。

7.非框架梁的上部钢筋在支座内的锚固长度应如何确定?伸入跨内的长度应为多少?当主体结构有抗震设防要求时,是否应按抗震要求采取构造措施?

非框架梁在端支座也受到约束并存在负弯矩,因此上部纵向钢筋在支座内的锚固长度应满足 l_a 的要求,伸入跨内的长度分为两种情况确定,当主体结构有抗震设防要求时,非框架梁不需按抗震要求采取构造措施。(1)当满足直线锚固长度时,端部可不设置弯钩且不小于 250mm;(2)当采用弯折锚固时,应伸至支座对边且水平段不小于 $0.4l_a$ 加 $15d$ 的垂直端;(3)当端支座上部钢筋按构造要求设置时,伸进支座内的长度不小于该跨计算跨度的 1/5;(4) 当端支座上部钢筋按计算要求设置时,伸进支座内的长度不小于该跨净跨长度的 1/3。见图 13。

8.当框架梁为宽扁梁时,梁中的纵向钢筋不能全部在框架柱内通过,钢筋应如何布置?在边支座处应如何锚固?有抗震设防要求时箍筋加密区的长度为多少?

宽扁梁的宽度都大于柱截面尺寸,对于大于园柱直径 80%也是宽扁梁,框架结构的边框架梁都不设计成宽扁梁;抗震等级为一级时也极少设计成宽扁梁。宽扁梁的内、外核心区均视为梁的支座,节点外核心区系指两向宽扁梁相交面积扣除柱截面面积部分:(1)梁中的纵向受力钢筋宜单层放置,间距不宜大于 100mm;箍筋的肢距不宜大于 200mm;(2)梁内应有 60%的纵向受力钢筋通过柱截面,并在端柱节点核心区可靠锚固,未穿过柱截面的纵向钢筋应在边框架梁内可靠锚固;(3)当纵向钢筋在端支座弯锚时,弯折端竖直钢筋外混凝土保护层厚度应不小于 50mm;(4)有抗震设防要求的宽扁梁箍筋加密区的长度为:一级取 2.5 倍的梁高和 500mm 较大值;其他等级取 2.0 倍的梁高和 500mm 较大值。见图 14。⑤

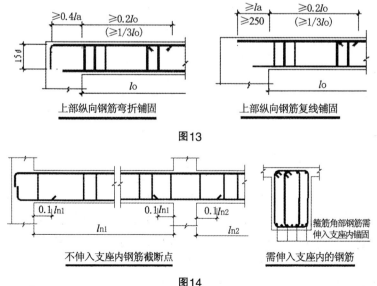

上部纵向钢筋弯折铺固　　　　上部纵向钢筋复线铺固

图13

不伸入支座内钢筋截断点　　　　需伸入支座内的钢筋

图14

企业文化核心理念提炼五步骤

——山西"和祥建通"实例分析

孙健耀，胡 寒，史军锋

(深圳新优势企业文化咨询机构，广东 深圳 518000)

摘 要：企业文化理念是一个企业的灵魂，是企业文化的核心层次，企业文化理念提炼是企业文化建设的首要任务。但很多企业对于企业文化理念提炼的思路、流程和方法知之甚少，导致走了很多弯路。本文将以新优势企业文化咨询机构为山西和祥建通工程项目管理有限公司提炼企业文化核心理念的全景实录为例，介绍企业核心理念提炼的要则。

关键词：企业文化，企业文化理念体系构建，企业文化理念提炼，核心价值观，和智文化，工程项目管理

引 言

企业文化是一个基于理念突破的创造过程，企业文化创造首要是理念创造。

众所周知，企业文化理念是企业文化的核心层次，是形成制度文化、行为文化和物质文化的思想基础。她反映了企业的信仰与追求，指导着企业的经营管理行为，在对内统一思想、凝聚和激励人心、产生心理约束和行为导向，对外树立良好的企业形象、扩大积极的社会影响等方面发挥着至关重要的作用。因此，总结、提炼企业文化理念，就是为企业文化建设奠定精神基础，就是为保障企业的战略实现制订基本大法，是为企业造魂！

但是，应该如何进行企业文化理念提炼呢？本文将通过山西和祥建通工程项目管理有限公司（以下简称"和祥建通"）的真实案例，向您介绍企业文化核心理念提炼的科学方法。

一、案例背景

和祥建通是一家总部位于山西太原高新技术开发区，具有深厚底蕴和强劲实力的综合性工程项目管理企业，注册资金1.2亿元人民币，自有资产中仅大型起重运输机械总价值已达1.6亿元人民币。该公司由原山西和祥工程项目管理有限公司与山西建通电力工程建设监理有限公司合并重组而成。其中：前者于2003年在原山西阳城电厂工程指挥部的基础上组建创立；后者则是成立于1991年，拥有双甲级监理资质的专业建设监理企业。

2008 年初，深圳新优势企业文化咨询机构(以下简称"新优势")正式接受和祥建通的委托，承担提炼企业文化的核心理念的任务。为此，新优势派出专门项目组入驻该公司，完整把握了其加速企业文化建设的四个深层次背景，即：适应项目管理国际化发展趋势的需要、适应门槛日益增高的行业竞争的需要、适应企业新战略制定与实施的需要、适应和祥与建通合并的文化整合需要。

二、企业文化核心理念的提炼过程

企业文化理念的提炼是一项立足现实、面向未来、坚持扬弃与创新的系统工程，一方面需要深入挖掘企业原有文化中的优秀部分，加以彰显、传扬；另一方面要果断摒弃、剔除现有文化中不符合甚至阻碍发展需要的落后部分，并注入跨行业或同行业优秀企业的先进文化元素，以适应市场竞争和战略实现的需要。

优秀的企业文化理念必须具备两大特性：一是导向正确，即体现对人的价值和商业规则的认同与尊重，且体系完整、逻辑严谨，全面支持企业战略需求；二是个性鲜明，即符合行业本质、富有企业个性，文采生动、易于理解与传诵。因而，新优势特别提出了企业文化理念建设"精准定位、精准表达、精准阐述"的"三精准原则"，并将理念提炼的过程细分为以下五个步骤：

1.调查

即对影响和祥建通公司企业文化理念的内、外部因素进行调查和资料收集。在此阶段，调查计划和方案的拟定以及调查过程中的随机应变十分关键，其中包括调查问卷、访谈提纲等内容设计、调查方式和调查样本的选择等等。

针对该公司的实际情况，咨询顾问们拟定了详尽的企业文化调查计划，决定采用问卷调查、个别访谈、小型座谈会、企业会议列席旁听、项目现场考察、资讯收集等多渠道调查方式，面向企业高层领导、中层管理者、基层员工以及公司本部员工、驻外项目部员工，对企业文化的现状以及建设需求进行全方位调查。

为统一员工认识、调动参与热情、确保调查工作的顺利进行，也为今后企业文化建设的深入推进奠定基础，该公司召开了由总部全体员工和驻外项目部的部分总监参加的"项目启动会"。会上，新优势咨询顾问通过《文化创造新优势》的专题培训，着重讲解了企业文化的定义及其重要作用、什么是优秀的企业文化、企业文化需要主动创造、企业文化创造的五大策略等内容；该公司的段志峰总经理也结合远景蓝图，阐述了公司重视企业文化建设的根本理由和重要意义。

在员工访谈方面，我们将总部员工全部列为独立访谈对象，并组织了 6 次不同主题的小型座谈会，鼓励参会者以讲故事的方式参与讨论；为更全面地听取一线员工的心声，我们一方面利用参加月度总经理办公会的机会，与项目总监进行会下交流，另一方面专程赶往具有代表性的武乡工程总承包项目现场进行实地考察。

在问卷调查方面，考虑到驻外项目部分布在华北各地，我们灵活采用了在规定时间内网上填答的方式；并在问卷中设计了企业理念征集的内容，使得每位员工都有机会思考和提出自己的建议。

经过近 10 天紧张有序的调查工作，新优势咨询项目组搜集了大量的宝贵资料：20 多万字的书面材料、156 份企业文化调查问卷和书面建议、1300 多张图片和 220 万字的电子文档(含网络资讯)等。

2.分析

即对影响和祥建通企业文化理念的内、外部因素进行深入系统的研究。在此阶段，需要针对前期收集的大量调查资料进行系统的归类整理，并利用"定性为主、定量为辅、定性与定量相结合"的方式进行准确的数据统计和深入分析。

咨询顾问们首先将搜集的资料归为六大部分，包括：企业历史沿革、战略规划与近年来的整体经营现状；企业文化沉淀与企业文化现状；母公司和信集团的战略方向与文化导向；国际国内工程项目管理行业的发展历史、现状、趋势与行业特点；国际国内优秀工程项目管理同行的成功经验与文化特征；山西省地域文化特征等。通过对调查问卷、访谈资料和观察记录的统计分析，我们得出如下结论：

(1)内部影响因素

1)公司的战略定位：致力于工程项目管理专业

领域,服务和支持于和信集团的多元化战略;

2)公司发展特征:呈现出两个主要特点,一是顺势应势;二是不断融合、相互包容;

3)公司整体氛围:整体比较均衡;稳定性稍大于灵活性,员工创造变革意识相对较弱,对外关注稍大于对内关注,公司部门间配合相对较弱;

4)优秀文化基因:和祥——艰苦创业、业主至上、团结协作、诚信待人;建通——任劳任怨、公正严谨、守诺、团结、创新服务、整合资源;

5)领导团队的个性特征:富责任感,追求完美;谦和隐忍,权威性强;善于放权,感召力强;

6)集团文化基调:作为一家新兴的综合性电力投资集团,倡导"和衷共济、求实诚信"的经营理念和"以人为本"的管理理念。

(2)行业影响因素

1)工程项目管理的行业本质:为业主服务,协调参建各方,实现多方和谐共处、合作共赢;追求节能环保,实现人与自然的和谐共生;属于技术密集、智力密集型行业,特别强调资质专业化、人才结构化、管理体系化、技术先进化、实施规范化、关系多元化;长期驻外的项目管理人才更需要"家"的温暖与心灵关爱;

2)工程项目管理行业的四大发展态势:市场机遇化、业务产业化、管理方式国际化、管理人员职业化;

3)中国工程管理项目行业的发展现状:属新兴行业,处在与国际接轨的渐进式变革过程中,与国外相比整体比较落后;国家正在大力扶持发展工程项目管理,政策、规范的完善和项目投资业主的观念转变还有一个过程;

4)工程项目管理行业国际标杆企业的八大共性特征:基于对柏克德、福陆等十多家欧美国际知名工程公司的研究,发现其共同的成功经验有——客户至上,以客户要求和自身倡导的高质量标准为目标;保持生命力,高度重视人才培育;产业延伸,提供全方位、多领域工程服务;管理严密,组织与专业设置适需,项目体系科学完善;重视研发,拥有独特的技术和专利;注重知识和经验的优化管理;擅长资源整合,拥有雄厚的资金实力和强大的融资能力;全球化经营,密切关注热点地区市场;

5)工程项目管理国内同行的发展动态:通过对国内近50家知名建设监理和工程项目管理公司的研究,我们总结出"2个积极"、"9个注重"的基本态势,即2个积极——积极开拓所擅长领域市场、积极转型迎接项目管理国际化时代;9个注重——战略研究、人才引进与培养、组织整合、项目管理体系的完善、项目管理数据库建设、先进技术的研发与应用、与国际企业及关联机构联盟合作、完善资质、强化文化与品牌建设。

(3)民族与地域文化影响因素

1)中国传统文化与儒商文化精髓:五千年的文明史造就了博大精深的中华传统文化,在"仁义礼智信、和谐中庸、无为而治"等基本元素的基础上,形成了"仁者爱人·诚实守信·以义制利"的"儒商精神";

2)晋商精神:和祥建通公司地处山西,绝大多数员工生长于山西。我们发现农耕文明、草原文明的不断交织造就了山西人知义、尚礼、讲求和谐、务实淳朴和豪放、坚韧、不甘现状、敢为人先的双重性格,由此成就了晋商500年的辉煌历史、并依然深刻影响着山西企业的经商风格,晋商精神的七大关键要素表现为勤俭敬业、诚信守义、开拓进取、协作共济和崇尚智慧、谦虚好学、注重创新。

(4)其他外部参考因素分析。

此外,现代经典管理理论与成功企业的共性特征也对和祥建通公司企业文化理念的建立,有着重要的借鉴作用。我们将全球卓越企业的共性特征主要归纳为"7×8字诀":"高瞻远瞩,追求卓越;尊重人才,共同成长;客户至上,超越需求;持续创新,引领变革;超越利润,贡献社会;组织规范,领袖表率;崇尚行动,注重执行。"

3.定位

即确立理念体系的结构和核心理念的提炼方向。在此阶段,企业文化核心内涵定位的准确性尤为重要,可谓"失之毫厘,差之千里"。

根据新优势企业文化理念体系标准化模型,企业文化理念体系分为战略理念、价值理念和执行理念三个层次。出于对企业迫切需要的尊重,双方决定先行完成核心价值观、使命、愿景、企业精神、经营理念和人力资源管理理念这六项理念。

经过多次的封闭研讨，咨询顾问们最终发现在所有的企业文化理念影响要素中，都隐藏着两个极具东方意蕴和时代感的元素——"和"与"智"！

其中，"和"是中华民族传统文化与晋商精神讲究仁义的"和"，工程项目管理行业服务业主、协调各方的"和"以及关心员工、团队协作的"和"，和信集团企业文化倡导和衷共济的"和"，和祥建通在融合中发展的"和"，该公司高层领导以德服人的"和"以及国际标杆企业客户至上、重视人才的"和"等等；"智"是中华民族传统文化与晋商精神中崇尚智慧、谦虚好学、注重创新的"智"，工程项目管理行业智力与人才密集的"智"，该公司不断顺时应势、创新服务的"智"，国际标杆企业重视战略、人才、知识、技术、管理与资源整合的"智"等等。

为此，新优势项目组将和祥建通核心理念的提炼方向确定为"和"与"智"，即"和"乃其品格特征与生存之本，"智"乃其能力特征与发展保障，和祥建通企业文化理念的核心内涵是"和智并举，和立智通"。

4.提炼表达

即对六大理念进行定向提炼和概括表达。此阶段的关键是在完整梳理每一项理念真实内涵的基础上，如何完成务实而精辟的语言表达。

有了对企业文化定位的充分把握，我们很快就初步提炼并形成了《和祥建通企业核心理念建议》。六大理念表述如下：

企业使命：弘扬晋商文化·推动产业进步·佑建祥和社会

企业愿景：成为具有国际水准和典范价值的工程服务企业

核心价值观：和信致祥·善建则通

企业精神：和智通明天地

经营理念：成就所托·超越期待

人力资源管理理念：和聚·和创·和成

其中：使命明确了企业存在的根本动机和理由，是企业实现愿景必须承担的责任或义务；愿景说明了企业期望实现的远大理想，展现了使命达成时的景象，或我们将以何种形态或身份履行使命；核心价值观反映了企业及每一个成员必须共同信奉、不懈追求的价值追求和持久信仰；企业精神是企业员工所必须共同具有的内心态度、思想境界和精神状态，是企业使命、愿景与核心价值观在群体意识上的概括反映；经营理念是企业在一切有关核心价值链的活动中所应该具有和遵守的价值理念，作为核心理念下的执行理念直接指导着企业的一切经营活动；人力资源管理理念作为执行理念层面中的管理理念之一，是企业在人力资源管理方面所遵循的基本原则。

5.研讨确定

企业文化理念提炼的一个重要原则和方法就是"领导亲力，小组参与，全员品鉴"，这既是提炼精准性的根本保证，也是理念内部培训和传播的开始。

在向高层汇报阐述《和祥建通企业文化现状调研报告》之后，围绕《和祥建通企业核心理念建议》，我们召开了持续四天的连轴式封闭会议。在一致认同企业文化核心理念提炼方向的前提下，各级员工就六大理念的内涵和文字表达等问题，逐条逐款展开了深入细致的研讨。四易其稿之后，这六大理念最终确定为：

企业使命：推动工程管理进步

企业愿景：成为可信赖、受推崇的工程管理专家

核心价值观：秉和致祥·善建则通

企业精神：以和立·以智通

经营理念：成就所托·超越期待

人力资源管理理念：和聚·和创·和成

一份凝结了该公司中高层领导与普通员工以及咨询顾问心血的理念文稿《和祥建通核心理念阐释》终于新鲜出炉。

三、"和智"理念的意义

"和智"理念的提出至少有以下两大意义：

其一，对和祥建通而言，具有系统突破价值。"和智"理念立足于企业特性，充分体现出和祥建通公司人对"责任"高度认知和对人才、知识技术的高度重视，表达了和祥建通人对事业的坚定信念和对未来的积极把握，她将推动该公司以"创建和智型企业，持续打造独特的综合竞争优势"为企业文化建设目标，加速在复合型专业团队、知识管理、运营体系、新技术开发应用、品牌、资源整合能力等方面形成系统突破，早日成长为具有全国影响力和典范效应的集

团化工程项目管理机构。

其二，对工程项目管理行业而言，具有首创价值。"和智"理念的提出在中国的工程项目管理业界属于首创，她充分揭示了工程项目管理的行业本质，明确了工程项目管理企业赢得市场竞争、实现可持续发展的根本解决之道，对于国内同行有着较高的示范和借鉴价值。

四、结　语

正如柯林斯在《基业长青》一书中所述："要成为高瞻远瞩、可以面对巨变、数十年繁荣发展的持久公司，第一步也是最重要的一点，就是明确核心理念，树立在任何情况下坚持不渝的坚定价值观。"作为企业文化创造的首要任务，企业核心理念提炼的好坏直接影响到企业文化的优劣和创造成效。因此，广大的工程项目管理机构应该高度重视企业文化理念体系的总结、提炼工作，使之切实符合行业发展趋势，符合企业战略实施与战略实现的需要。

当然，企业核心理念的提炼与确立，仅仅意味着企业文化建设工作的开始。一方面，企业文化理念体系需进一步完善，并在未来的岁月里不断丰富和提升；另一方面，企业文化理念重在实践，最关键的是理念的认同与自觉意识，理念在机制、形象、行为上的全面落地，以及理念落地后，在团队活力、品牌地位以及长期经营业绩上的切实体现。愿我们共同迎来工程项目管理行业黄金时代的到来！⑤

国家出台扩大内需十项措施　总投资约需4万亿元

国务院总理温家宝11月5日主持召开国务院常务会议，研究部署进一步扩大内需，促进经济平稳较快增长的措施。

会议认为，针对当前我国经济发展存在的实际困难，要实行积极的财政政策和适度宽松的货币政策，出台更加有力的扩大国内需求措施，加快民生工程、基础设施、生态环境建设和灾后重建，提高城乡居民特别是低收入群体的收入水平，促进经济平稳较快增长。会议提出的进一步扩大内需、促进经济增长的十项措施为：一加快建设保障性安居工程。加大对廉租住房建设支持力度，加快棚户区改造，实施游牧民定居工程，扩大农村危房改造试点。二加快农村基础设施建设。加大农村沼气、饮水安全工程和农村公路建设力度，完善农村电网，加快南水北调等重大水利工程建设和病险水库除险加固，加强大型灌区节水改造，加大扶贫开发力度。三加快铁路、公路和机场等重大基础设施建设。重点建设一批客运专线、煤运通道项目和西部干线铁路，完善高速公路网，安排中西部干线机场和支线机场建设，加快城市电网改造。四加快医疗卫生、文化教育事业发展。加强基层医疗卫生服务体系建设，加快中西部农村初中校舍改造，推进中西部地区特殊教育学校和乡镇综合文化站建设。五加强生态环境建设。加快城镇污水、垃圾处理设施建设和重点流域水污染防治，加强重点防护林和天然林资源保护工程建设，支持重点节能减排工程建设。六加快自主创新和结构调整。支持高技术产业化建设和产业技术进步，支持服务业发展。七加快地震灾区灾后重建各项工作。八提高城乡居民收入。提高明年粮食最低收购价格，提高农资综合直补、良种补贴、农机具补贴等标准，增加农民收入。提高低收入群体等社保对象待遇水平，增加城市和农村低保补助，继续提高企业退休人员基本养老金水平和优抚对象生活补助标准。九在全国所有地区、所有行业全面实施增值税转型改革，鼓励企业技术改造，减轻企业负担1 200亿元。十加大金融对经济增长的支持力度。取消对商业银行的信贷规模限制，合理扩大信贷规模，加大对重点工程、"三农"、中小企业和技术改造、兼并重组的信贷支持，有针对性地培育和巩固消费信贷增长点。初步匡算，实施上述工程建设，到2010年底约需投资4万亿元。为加快建设进度，会议决定，今年四季度先增加安排中央投资1 000亿元，明年灾后重建基金提前安排200亿元，带动地方和社会投资，总规模达到4 000亿元。

夏威夷瑙鲁II期工程施工组织纲要

杨俊杰[1]，高也立[2]

（1.中建精诚工程咨询有限公司，北京 100835；2.清华大学国际工程项目管理学院，北京 100084）

【内容提要】 本文是"美国工程承包投标中的问题——夏威夷二期工程回顾"的续篇。该篇对夏州的投资环境及其特殊的地位作了简明扼要的说明，文中一些该州的特殊人文、地理、投资环境等方面的情况，对投资者和工程承包管理者都有益处。美国有关工程承包的法律、设计和施工技术规范等也需要我们注意了解、学习和熟悉、消化，以便条件、时机成熟时大力开拓美国工程承包市场。

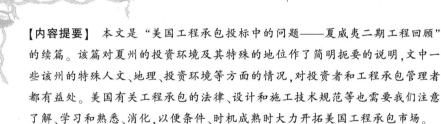

本案例主要侧重于投标时需要向业主报送的施工组织纲要的主题内容，待中标后还可能根据招标文件或项目手册中的规定和业主要求再报该项目的施工组织详细计划。根据美国相关的法律规定及外国承包商的工程成本问题，总分包基本都由当地大承包商承担，外国承包商只需承担全部项目管理或与当地承包商联合项目管理等。

夏威夷独有的五大优势：（1）"特区中心"政策。它是全美唯一被美国政府指定为"特区中心"的州，为 EB-5 的投资者带来巨大优势，该投资还可间接地创造就业机会。（2）劳动力层次可靠。夏威夷市拥有众多的、可靠的、文化背景多样化的，并且种族能够和睦相处的劳动力，又是一流学府——夏威夷大学所在地，该地区文化教育程度相对较高。（3）地理位置优越。夏威夷处于太平洋中心，使之成为有意在亚太市场拓展、挑战相关业务的人士的绝佳选择。(4)经济势头强劲。夏市经济连续数年持续上扬,日美经济萧条、石油价格猛增、甚至9·11后波及整个北美的经济大衰退都未对夏州经济造成放慢的负面影响。(5)生活质量较高。与全美其他各州相比,夏州人寿命最长,冬夏平均气温约为26~32℃,是生活、经商的理想之地。夏威夷美中不足的是物价水平相对来讲是高档次的,工人工资、所得税、保险费材料、设备租赁费等均处于高价位状态,这给工程承包业带来工程成本、项目管理等的不利影响。

一、工程概况

项目投资人为:瑙鲁共和国某矽酸盐公司

该项目开发商为:美国凯福来国际集团和中方某房地产公司

设计者为:夏威夷设计公司

工程管理总承包为:中方某国际公司

合同条款格式为:美国 AIA 文件 A101 业主与承包商的协议范本(1987 年版本、以固定价为依据)

该项目投标保函为 5%;履约保函为10%;维修保函为 10%。

夏威夷Ⅱ期工程包括 47 层公寓和 30层公寓。总占地面积 3.5 英亩。

(一)47层公寓

47 层公寓楼包括塔楼、商场、停车场三部分。总高度 412 英尺 [1 英尺 (ft)=0.3 048 米 (m)],建筑物占地面积 108 904 平方英尺[1 平方英尺(ft²)=0.09 290 304 平方米(m²)],总建筑面积 892 838.5 平方英尺。其中:塔楼 47 层,占地面积 13 892 平方英尺,建筑面积 625 890.5 平方英尺,设套房 364 套,电梯六部。

商场 1 层(相当于 2 个标准层),建筑面积20 183 平方英尺。

停车场 5 层,占地面积 74 829 平方英尺,设 620 个停车位,建筑面积 246 765 平方英尺。

47 层公寓建筑结构特征为:桩基础,框剪结构,瓷砖、地毯地面,玻璃幕墙、铝面蜂窝板内墙(墙裙),混凝土外墙面,金属门,木门,金属窗。

47 层公寓主要工程量见表1。

(二)30层公寓

30 层公寓楼规划占地面积 227 649 平方英尺,建筑面积 276 116.2 平方英尺。

其中,车库面积 92 552.7 平方英尺。公寓主体结构 22 层,下部 5 层(包括裙楼)为车库,局部(电梯间位置)30 层。

高度 282 英尺 11 英寸。为全浇框架结构,桩基础。楼内设套房 171 套,电梯 3 部(直通 30 层)。单元套房内采用石膏板隔断,内门为空心木门,外窗为铝合金玻璃窗。铺地毯、弹性地板、瓷砖等为地面,内墙面为混凝土、石膏板、瓷砖,外墙为混凝土、铝合金板等项目。停车场为框架结构,可提供 187 个停车位,车道为半圆形封闭车道,由 1 层通到各层。

30 层公寓主要工程量见表2。

47 层塔楼资金流量表见表3。

47层公寓主要工程量 表1

名称	单位	数量	名称	单位	数量
1.基础结构			3.屋面工程		117 022.4
土方挖/填	立码	11 784/5 287	4.装饰工程		
现浇混凝土	立码	7 829	玻璃幕墙	平尺	131 360.57
模板	平尺	57 951	铝面蜂窝板	平尺	595 98
钢筋	英镑	829 977	混凝土墙面	平尺	106 694.6
2.上部主体结构			(普通)金属窗	平尺	19 242
现浇混凝土	立码	50 440	金属门、木门	扇	3 754
模板	平尺	1 966 697	玻璃门	平尺	42 008.5
钢筋	英镑	10 203 058	室内防水	平尺	54 076.4
混凝土预制板	平尺	188 327	瓷砖墙面	平尺	17 692
钢结构构件	英镑	1 762 911	瓷砖地面	平尺	6 965
			地毯	平尺	45 670

注:表中面积单位均为平方英尺。

30层公寓主要工程量 表2

名称	单位	数量	名称	单位	数量
现浇混凝土 (包括车库)	立码	13 408	混凝土外墙面	平尺	67 102.7
模板	平尺	574 734	铝面蜂窝板	平尺	3 280
钢筋	英镑	2 529 967	地毯	平尺	667
屋面防水	平尺	25 126.6	瓷砖墙面	平尺	3 328.8
门(金属、木门)	扇	1330	瓷砖地面	平尺	17 040.23
铝合金玻璃窗	平尺	56 144	室内防水	平尺	9632

注:表中面积单位均为平方英尺。

47层塔楼资金流量表(工程付款部分) 表3

付款期	1	2	3	4	5
本期付款	2 870 000	8 100 000	10 420 000	11 820 000	15 140 000
累计付款	2 870 000	10 970 000	21 390 000	33 210 000	48 350 000

付款期	6	7	8	9	10
本期付款	16 200 000	17 600 000	17 380 000	10 230 000	7 251 097
累计付款	64 550 000	82 150 000	99 530 000	109 760 000	117 011 097

二、施工组织部署

(一)施工部署的基本思路

该工程总工期为30个日历月。

该工程施工部署的基本思路是:以总工期要求安排施工总进度。

根据工程项目特征和总工期要求,依据关键工程的关键线路,制定施工总进度计划。即根据30个月的总工期,优先确定47层公寓的结构、安装和装修工期,以此为关键工作,在每个施工工期内做好土建、机电施工的交叉配合,并采用先进的施工技术、机械设备和劳动组织作为保证。

(二)47层公寓施工总进度计划

夏威夷瑙鲁Ⅱ期工程关键项目为47层公寓。其施工总进度计划见表4。

其关键线路为"基础-塔楼主体结构-塔楼装修"。裙楼(车库、商场)结构,待塔楼主体结构封顶后展开;在塔楼主体结构进入标准层后,开始插入室内装修;水、电、气及设备安装,根据施工工艺和进度要求及时配合交叉。

室外工程(管线、道路、绿化)应适时插入,可将30层公寓部分室外工程一并考虑。

1.施工准备工期:0.5个月。包括供电、供水、场内道路、临时设施和现场劳动组织等内容。

2.基础工程工期:3.5个月。包括:基础开挖、截柱、基础混凝土及回填等内容。

3.塔楼主体结构工期:16个月。

4.塔楼内装修。

塔楼主体结构施工进入标准层后,开始其室内装修施工(自下而上)。设备安装穿插进行。

塔楼内装修工期:13个月。

在同层内,按顶棚、墙面、地面和卫生间、卧室、走廊顺序施工。

5.外装修。

按工程的构造特征分为三个施工区段,工期为:15个月。

底部楼层的外部装修,已包括商场、停车场部分,因而装修工程量较大,工期占用较多。

6.车库、商场工程。

待塔楼主体结构封顶后,即可开始车库、商场的结构施工,工期分配4个月。之后,为其屋面工程及其内部装修,工期5个月。车库、商场的外部装修已与塔楼底部外装修一并考虑。

7.电梯安装工程。

在塔楼主体结构完工后,即可开始电梯的安装施工。应采取切实有效的技术组织措施,使电梯尽早投入使用,以解决在外用电梯拆除后的垂直运输问题。

47层塔楼共有6部电梯,安装工期为4个月。

8.机电设备安装。

包括通风空调、给水排水卫生、电气和消防等工程。其施工程序要点是：

1)埋设于结构内部的电线管、接线盒等均与结构同步施工；

2)在结构施工阶段，利用塔吊将大型机电设备和大直径管道吊运到安装位置，为全面开展设备安装做好准备；

3)当结构施工进入到标准层(不致影响设备安装和装修工程正常施工)后，安装工作伴同装修施工应及时插入。

机电设备安装工期为12个月。

9.室外工程。

包括室外管线、道路、零星工程和花园绿化等。根据总进度计划、劳动力均衡分布以及施工场地适时穿插进行。工期定为8个月。

(三)30层公寓楼施工进度计划

30层公寓楼为夏威夷瑙鲁Ⅱ期工程非关键工程。其施工进度计划的编制，应依据47层公寓楼总进度计划。

公寓楼基础与车库基础相连，故必须首先进行全部基础的施工，而后依次进行公寓主体结构、车库结构、外部装修工程的施工。在结构施工进入标准层后，及时插入内部装修及机电设备安装工程。电梯安装在主体结构完工后开始。

其进度计划见表5。

注：本施工组织大纲中的施工进度计划仅为控制性进度计划；在项目实施前，将根据主分包和分分包的施工组织设计及施工进度计划，作综合性考虑和调查。

三、主要技术方案

施工技术方案的选择以有利于加快工程进度和保证工程质量为重要原则。

(一)结构施工

1)钢筋混凝土工程采用现浇与预制相结合(凡是便于预制、安装的混凝土件都采用工厂预制)；

2)现场混凝土采用大流动性泵送(商品)混凝土，实现远距离、大面积、超高层的混凝土输送；

3)现浇混凝土广泛采用外加剂技术；

4)采用留置养护支撑；

5)钢结构采用订购制作(工厂加工)。

(二)装修施工

1)混凝土地坪一次抹平成型；

2)装饰混凝土表面处理。

(三)机电工程

1.配合结构施工预埋，大型设备结构封顶前运到安装部位。

2.施工组织方案。

在结构施工中，尽可能实现小节拍均衡流水施工，以获得工期短、质量高、投入少的综合效益。

3.施工机械。

施工机械的选择和使用，要紧紧围绕工程特点和已定的施工部署来安排。现场的垂直运输主要由塔吊和室外电梯完成。

(1)现场的所有施工点范围，都必须在塔吊的覆盖面下，基础施工、结构施工所需要的大量钢筋、模板、构件、混凝土和装修工程、机电安装的大部分材料和设备，均由塔吊运送。

(2)在施工达到一定高度时，安装室外电梯，以解决施工人员的上下及塔吊拆除后的材料运送。

编制说明：

1.每一付款计算期为3个月。

2.编制依据为中国某国际工程公司的分项报价、进度控制计划。

3.未考虑预付款、预付款扣还、维修保留金扣留等因素。

4.由于销售计划不清，未考虑投入产出的资金平衡，因此本表仅作为投资参考。

案例简析

由于种种原因本案例没有能够全部实现，但仍有提示性的参考意义。🅑

表4

47层公寓施工总进度计划

工作编号	施工过程	持续时间(月)	施工进度
1-1	施工准备	0.5	
2-1	基础挖土、截桩	1.5	
2-2	基础混凝土、回填	2	
3-1	塔楼底层结构(1-5)	1.5	
3-2	标准层结构(6-32)	9.5	
3-3	非标准层结构(33-35)	1	
3-4	钢结构(36-38)	1	
3-5	钢结构(39-44)	2	
3-6	顶部结构(45-47)	1	
4-1	塔楼屋面	0.5	
5-1	塔楼内装修(1-5)	2	
5-2	内装修(6-32)	7	
5-3	内装修(33-38)	1.5	
5-4	内装修(39-44)	1.5	
5-5	内装修(45-47)	1	
6-1	外装修(6-35)	7	
6-2	外装修(36-47)	3	
6-3	外装修(5-1)	5	
7-1	车库结构	4	
7-2	车库屋面及内装修	5	
8-1	电梯安装	1	
8-2	水、电、气、设备	12	
8-3	室外工程	8	
9-1	总清理	1	

施工进度月份:1994年(1~8月)、1995年(9~15月)、1996年(16~24月)、1997年(25~38月)

备注:关键工程　非关键工程　关键工程　时差

表5

30层施工进度计划

工作编号	施工过程	持续时间（月）	施工进度
1-1	施工准备	1	
2-1	基础挖土	1.5	
2-2	基础混凝土	1.5	
3-1	底部结构	1.5	
3-2	标准层结构	6	
3-3	上部(30层)结构	1	
4-1	屋面工程	0.5	
5-1	底部内装修	1	
5-2	标准层内装修	5	
5-3	上部(30层)内装修	0.5	
6-1	上部(30层)外装修	0.5	
6-2	标准层外装修	3	
6-3	底部外装修	2.5	
7-1	车库结构	2	
7-2	车库屋面内装修	3	
8-1	电梯安装	3	
8-2	水电设备	4	
8-3	室外管线	3	
9-1	收尾	1	

施工进度时间轴：1994年（1月～12月）、1995年（13月～24月，月份标注至1994年含1～12月，1995年含13～24月）、1996年、1997年，共38个月。

备注：关键工程、非关键工程、时差

伦敦希思罗国际航空枢纽建设的项目风险管理

◆ 徐绳墨 编译

(上海一测建设咨询有限公司，上海 200030)

英国航空公司希思罗国际航空枢纽建设的项目总负责人安特鲁·沃尔斯霍姆先生在接受媒体采访时说，他所以对项目建设信心十足，主要是由于在建设中重视了风险管理。

位于伦敦之西的希思罗机场，从 20 世纪 70 年代建成以来成绩卓著，且随着其运载能力的不断增强，现在已经是可年载客数千万人次的大型航空港。正在建设的是第五航站区 (以下简称 T5 工程)，比起以前的航站区规模更大。该项目由英国著名的建筑师查·罗杰士主持设计。

T5 工程总投资为 43 亿英镑，其场地四周面积与伦敦海德公园相仿。工程包括建造一座长 400m 的主候机长廊(它在英国是最大跨度、中间没有支撑的建筑物)，还包括两个卫星式的登机平台，60 个飞机泊位，一个空中交通指挥控制塔，有总长达 13.5km 的地下通道、一个多层停车库和一座有 600 个床位的高级酒店。

英国航空公司对该项目风险管理的做法有以下几条：

一是从投资意向开始，决策管理层就十分重视项目管理工作。该项目最早的概念启动于 1990 年，当时任英国航空公司总裁的约翰·伊根爵士就开始策划筹建该项目，并对国际上各个顶尖的已建和在建项目作了调查研究，考虑到了可能的风险。这里要着重提一下的是：这位伊根爵士是建设领域的资深人士，退休后受内阁副首相的委托，对英国的建设系统作了独立的研究，并写出了题为《加速推进改革》的专题报告,提出了各系统,包括投资、开发、设计、施工、设备协同投入建设的理念,在英国很有名气。他和几年后也提出同样观点的迈克尔·拉森爵士一起,对自20世纪90年代至今的英国建设发展有着重大贡献。英国有个良好的传统,就是针对建设系统单位众多、各自分散的特点,不定期地委托独立的资深人士,对整个行业做出宏观的诊断。这一点值得我们借鉴。

二是对同等或相似的项目,在世界范围所遭遇的风险事件作了广泛的调查。他们考察了像温布莱体育馆、苏格兰议会大厦、香港机场和波茨登大地格公路那样的大工程。特别是曾经出过重大风险事件的工程。除了上述项目以外,还有千年穹顶、英法海底隧道和巴黎戴高乐机场等。吸取他人的经验教训,对于T5工程辨认自身将会遇到的风险,制定风险管理计划,都起到了积极的作用。

三是妥善地制定了项目的架构,明确了建设各方的关系和责任。首先,他们十分重视专家顾问团体的作用,增强了专家组、设计组和各个方面的顾问班子力量,强化了对专业供应商的选择和协调工作,使他们为实现总体终端设计目标而各负其责,并把它划分为各自相对独立的16个项目进行管理,保证总计划完成。遇到问题,首先是由专家顾问组提出对策,然后反复论证,再加以实施。这样的机制,可在工程出现问题的苗子或发生风险事件可能导致事情变坏时,及时找到处置和规避的方法。主登机长廊采用单跨度的屋面就是一个例子。当时由于冬季潮湿多雨,基础工程工期拖延了三个月,在此情况下,他们通过改变重大设计的办法,把损失的时间抓回来,而如果按传统的合约形式,这是绝不允许的。这种强化专业的协同管理、弱化承发包之间的关系,是从事复杂工程建设的可取做法。

四是改革了传统的承发包方式。在制定采购策略的时候,英航采用的是自己承担重要风险,而不把它转嫁给承包人的做法。在传统的招标程序下,双方往往都尽力把工程的延误、差错和变更,作为对方的责任,企图向对方索赔,进行处罚,结果导致争议不断。

而且这样的气氛会造成主承建商挤压分包商,分包商又再挤压他们的分包人的不良状态,每个人都想来桌子边,寻找有利于自己的合约条款,这势必忽视了对工程的热情和精心管理。而在T5工程的招标过程中,英航反其道而行之,他们着重选择能长期合作的承包人,期望与他们共同工作。这样不仅能够一起辨认风险所在,而且大家共同关注提高更大效益的机会,对达到目标成本起到了激励作用。

另一位向政府提出建议的拉森,曾考察了T5工程的项目管理,他现在是建设业内的改革家和培训委员会主任。经考察后他认为:"这是第五航站区建设成功的重要原因之一,应把它看成是一个典型。"并认为,许多顶级的、具有良好智慧的建设单位,应认识到接纳英航方法的必要性。他说,应该具有高度的明察秋毫的精神来推进项目的建设。他又说,潜在的风险不一定会反映在价格上。投标人往往报过低的价格,而把精力消耗在寻找索赔和调整账目上,以抵冲过低报价的损失,从而又造成了工程的延误和费用的超支。现在的方式远比有几十家承包商互相激烈竞争,以最低价胜出的制度来得好(编译者按:英航的经验是因地制宜,因项目的不同而分别对待。我按原意译出,供参考)。

另一位在159个国家有20万会员的项目管理协会执行主席克里格·巴勒斯特里说:这就是美国波士顿高速城市交通大挖掘(BIG DIG)工程失败的根本原因。该工程争议不断,导致工程拖了15年才完工,成本达到150亿美元,是原估算的六倍。管理混乱,又使得该工程屡出安全问题,曾有隧道顶棚脱落砸在车上,死了一位女过路人。当地政府和州政府的预算没有可实现性,漫长的工期对当地的税收产生了负面影响,然而对其复杂性却没有人考虑。

五是重视科学,一切通过试验。T5工程是建在已有排水管道网上的,还夹在已有两条南跑道和北跑道之间,原有登机廊在其东,而M25公路在其西,施工竟然能在对机场运行没有任何干扰中完成,这不能不承认是一个奇迹。中间新的87m高的控制塔位于世界上最繁忙的计程出租车工作区内,重达900t的视控室设备需整体搬运2km,穿过南跑道水平运输。为避免影响机场运行的航班起落,施工作业一般都安排在午夜进行。

为了顺利施工，英航和它的合作伙伴作了许多试验，构件设备都进行了预装配，尽可能安排在现场以外，如上述候机长廊的单跨屋面板就在约克郡进行。"我们把它拿上拿下，和建筑师、工程师、安全专家、塔吊司机一起，作了120次试验，并记录数据。把一切工序都预先在主网络计划的关键路线上进行考察，这样就能以较低的费用，化解可能出现的风险。"

采购的设备也进行与安装同样的试运行。例如，结合设备采购，行李处理系统的测试在设备中标供应单位荷兰的范特兰公司进行。该行李分拣机长度有400m，其运送速度需经前后通调。项目管理部派出五位工程师，与供应商一起，围着一台计算机，在分拣机下测试，查找系统的缺陷，这项工作将在机场启用之前15个月最终完成。因为在其他类似的工程上发生过设备系统的安装和调试进展迟缓，在最后阶段影响了使用，遭到索赔，项目不能圆满完成的情况。

对参建员工安全和操作事故的防范，也是T5工程风险管理的一个重要方面。由于预组装使得T5工程现场的劳动力减至最少，这样就降低了现场突发风险，也减少了发生劳资纠纷的机率。T5工程建设中虽然有过几次工潮，也多支付了工资，但没有影响项目的顺利进行。

安全管理是风险管理的重要方面，T5工程安全纪录因去年一名建筑工人死亡而受损害，但这个工程的事故发生频率只是同期产业事故平均数的三分之一。项目负责人说，他们组织了承包商、供应商比赛，鼓励他们达到高安全标准，并有一个共同约定的终端显示每月、每家公司的安全纪录。这在建筑业还是第一回，顶尖的施工者月得99分，而最低的仅得65分。安全施工，达到者可得25英镑支票，每季度得胜的小组可获500英镑。在一个分区，曾有前五名小组各得奖励500英镑。

最重要的一条是，英航公司牢牢掌握了项目管理的主动权。他们实行的是机构内部的项目管理制度，认真选择了一位项目负责人。2002年开始施工时接管实施的项目负责人，就是前面提到的安特鲁·沃尔斯霍姆。他有冷静的头脑、土木工程建设的经历，曾在专业部队里获大尉军衔。他把项目办公室办成

参加建设各方的家，在中央挂上倒计时钟，预示着离开项目完成尚有多少天、小时、分，大家都乐于为此目标而奋斗。工地对外的宣传口号是："使T5达到目标"、"使T5安全"、"使T5不超预算"、"使T5质量优良"。这说明他们注意到了各个参建单位间必须建立和谐协调的工作环境。他说："这在建设系统是少见的。当碰到问题时，我们通过顾问团队工作，可以找出最好的解决办法。我们发现，长期实践的经验可以使我们能驾驭所有出现的风险，实现较好的项目价值。"他在办公室建立了严密的管理体制和工作制度，所以信心十足。到2006年9月底，工程已经完成了85%，完全可以在2008年3月底前投入使用，并且确保资金使用在批准的投资控制额之内。整个项目组把该项目作为英国迎接2012年奥运会的大门来建设，并决心使希思罗机场继续成为欧洲五大国际机场之一。

英航已经将T5工程的经验加以推广，并准备在东部希思罗机场扩建工程中丰富加强。那也是2012年的奥运工程。安特鲁·沃尔斯霍姆进一步说："转变的是预组装建设技术、扩大的团队和安全文化建设。所有这些都证明，政府有巨大的需要重新定义出如何建造重要公众工程的建设计划。"

（此文由Alison Maidand英《金融时报》上发表）⑬

建筑施工合同诉讼纠纷中的诉讼时效（一）

兼对《最高人民法院关于审理民事案件适用诉讼时效制度若干问题的规定》的解读

曹文衔

（上海市建纬律师事务所，上海 200050）

在建设工程施工合同这类民事合同纠纷中，如果合同双方不能通过协商解决纠纷，诉讼或仲裁就成为解决问题的最后手段。此时，诉讼时效问题，对于争议双方而言，都可能成为首先必须面对的问题。然而，在建筑企业最常涉及的施工合同文本中，几乎从来不会出现"诉讼时效"这样的字眼，因而容易被建筑企业所忽视。丧失诉讼时效成为施工企业有理而败诉的重要原因之一。笔者在多年的律师执业实践中对此有深刻体会。

《最高人民法院关于审理民事案件适用诉讼时效制度若干问题的规定》（下称"司法解释"）于 2008 年 9 月 1 日起施行。该司法解释中的诸多规定对于建筑企业维护自己的施工合同债权请求权具有重要影响，建筑企业应当予以高度重视。

诉讼时效，是指权利人请求人民法院依强制程序保护其合法权益而提起诉讼的法定有效期限，或者指权利人不行使权利的事实状态，持续经过法定期间届满，丧失其请求法院依诉讼程序强制义务人履行义务的权利的时效制度。

根据《民法通则》第七章有关诉讼时效制度的规定，诉讼时效期间是当事人向人民法院请求保护民事权利的期限，从知道或者应当知道权利被侵害时起计算。诉讼时效因提起诉讼、当事人一方提出要求或者同意履行义务而中断从中断之时起,诉讼时效期间重新计算。在诉讼时效期间的最后六个月内,因不可抗力或其他障碍不能行使请求权的,诉讼时效中止。从中止时效的原因消除之日起,诉讼时效期间继续计算。一般民事权利请求权的诉讼时效期间为两年,但下列的诉讼时效期间为一年:(一)身体受到伤害要求赔偿的;(二)出售质量不合格的商品未声明的;(三)延付或者拒付租金的;(四)寄存财物被丢失或者损毁的。此外,根据《合同法》第128条的规定,因国际货物买卖合同和技术进出口合同争议提起诉讼或者申请仲裁的期限为四年。

由于上述法律规定比较抽象,对其中有些问题,即便在法律界也经常有不同的理解。司法解释的颁布实施,在很大程度上统一了司法领域对于诉讼时效制度的理解,但有些规定与社会上流行的对诉讼时效制度具体适用的误解有巨大差距。

本文结合司法解释和施工合同纠纷的特点,分析施工合同签订和履行过程中若干包含诉讼时效内容的问题,希望能为建筑企业管理人员正确理解我国法律和司法解释的有关规定提供参考,以保护自己的合法权益。

一、施工合同中有关"当事人一方逾期行使有关权利视为弃权"的约定是否有效

司法解释第二条规定,当事人违反法律规定,约定延长或者缩短诉讼时效期间、预先放弃诉讼时效利益的,人民法院不予认可。

在施工合同中,经常存在类似如下的约定:"承包人在约定的索赔期限内未提出索赔要求或者未提出索赔证据的,视为索赔不成立"、"承包人未在约定的期限内提出发包人供应货物的质量瑕疵、数量短缺等异议的,视为承包人接收的货物符合双方约定的标准和要求"、"承包人应在约定的期限内一次性提出工程结算的全部金额和全部资料,发包人不接受承包人在第一次提出工程结算资料后补充提出的增加结算价款的要求"。

法律实务界对上述约定的理解存在分歧。有人

认为,此类约定的实质在于,通过合同形式变更(延长或者缩短,通常是缩短)了有关请求权人的法定诉讼时效期间,属于违反法律规定的约定,应当无效。而笔者认为,施工合同中的上述类似条款,只是约定了一方向对方索赔或者提出异议的期限,超过期限视为索赔或异议不成立,或放弃索赔,或不存在异议;而不是约定超过一定期限后,一方不得向人民法院或仲裁机构请求保护合同权利,因而不是对法律规定的通常两年的民事诉讼时效期间的重新约定。此类约定是合同双方对一方当事人合同实体权利的处分(通常是抛弃)的约定,不涉及当事人对法定诉讼权利的处分。而法律不否定民事主体自由处分自身的实体民事权利(特定的人身权利除外,因为其往往附随着对于他人的义务,而非单纯的权利)。因此,施工合同中有关"当事人一方逾期行使有关索赔、异议权利视为弃权"的约定有效。

当然,如果有类似如"承包人在约定的期限内未提出索赔要求的,不得就索赔事项向人民法院起诉或向仲裁机关申请仲裁,否则视为违约"的约定,将属于司法解释第二条规定的内容,人民法院不予认可。换言之,承包人在约定的索赔期限之后,仍有权向法院起诉或向仲裁机关申请仲裁,而不被裁判机关认定为违约。

二、同一诉讼案件中的多个请求事项是否具有不同的诉讼时效计算时点,承包人应当区别对待

有时,在关于施工合同履行产生的诉讼纠纷中,承包人作为原告提出的诉讼请求包括多个请求事项,比如,既要求发包人支付被拖欠的工程进度款,又要求发包人支付承包人代为垫付的甲供材料款。严格说来,尽管上述两款项均基于施工合同的履行而产生,但在法律性质上却有所不同,工程进度款属于承包人履行施工合同所得合同对价的必要组成部分,而代为垫付的甲供材料款属于发包人向承包人的借款,不属于承包人履行施工合同的对价。因而承包人向发包人主张上述两类款项的诉讼时效期间的计算时点通常不一致。对于工程进度款而言,诉讼时效期间从合同约定的发包人应当支付该笔工程进度

款的最后一日的次日开始计算，而对于代为垫付的甲供材料款而言，诉讼时效期间从合同约定的发包人应当向承包人返还该笔垫款的最后一日的次日开始计算，如果合同对发包人返还垫款日期没有约定，则一般应从承包人向材料供货商实际支付甲供材料款，且发包人知道承包人实际垫付行为之日起的次日开始计算。

总之，同一诉讼案件中的多个请求事项通常具有不同的诉讼时效计算时点，施工承包人提起诉讼时应当逐一判别，分别举证证明，以防范相对方提出诉讼时效抗辩。

三、对于施工合同工程款纠纷诉讼中发包人有关工程质量、工期违约的反诉，承包人应在一审期间主动提出可能的诉讼时效抗辩

司法解释第三条规定，当事人未提出诉讼时效抗辩，人民法院不应对诉讼时效问题进行释明及主动适用诉讼时效的规定进行裁判。

司法解释第四条规定，当事人在一审期间未提出诉讼时效抗辩，在二审期间提出的，人民法院不予支持，但其基于新的证据能够证明对方当事人的请求权已过诉讼时效期间的情形除外。

在拖欠工程款的诉讼纠纷中，当承包人向发包人就主张支付工程欠款提出本诉时，多数情况下，发包人会以承包人完成施工的工程质量不合格，或者承包人工期违约作为抗辩理由，甚至提出反诉。在此情况下，不仅承包人自身在向发包人主张支付工程欠款时，应当提供证据证明该本诉提出的时间在法律规定的两年诉讼时效期间之内，还应当注意在一审期间就发包人提出的有关抗辩或反诉事由判别其是否超过了法定诉讼时效期间。因为，在同一案件中，不同的权利主张事项一般具有不同的诉讼时效期间的届满日期。比如，发包人在工程实际竣工后三年，虽经承包人多次频繁催讨，仍有工程结算价款未付清，而每次面临承包人的催讨，发包人总以各种理由拖延，却从来未提出不付余款的理由在于工程质量不符合约定，或者承包人工期违约。只是在承包人诉至法院后，发包人才提出承包人在工程质量或工期方面违约的抗辩或反诉。而根据诉讼时效期间计算起点的规定，发包人最晚在工程竣工验收或交付发包人使用之时，就已经知道或者应当知道承包人施工的工程质量是否合格，或者承包人工期是否违约。因此，工程竣工验收或交付发包人使用之时应作为发包人主张承包人承担工程质量违约或者工期违约责任的诉讼时效期间计算的起点。由于发包人提出抗辩或反诉的时间距离工程竣工验收或交付发包人使用已经超过两年，并且其间从未向承包人提出过同样的要求，因而不存在诉讼时效中断重新计算情形，如果也不存在任何导致诉讼时效中止的法定情形，则发包人提出的抗辩或反诉，已经超过了法定诉讼时效。

值得注意的是，当事人一方根据实体法上的诉讼时效抗辩权在诉讼中提起的诉讼时效抗辩是实体权利的抗辩，是需由当事人主张的抗辩，司法不应过多干涉，这是民事诉讼处分原则的应有之义。因此，遵循意思自治原则和处分原则，在义务人不提出诉讼时效抗辩的情形下，人民法院不应主动援引诉讼时效的规定进行裁判，该规定也与法院居中裁判的地位相适应。为此，司法解释第三条作出了明确规定。也就是说，诉讼中一方提出的主张或者抗辩是否已经超过了法定的诉讼时效期间，法官不会也不应提醒另一方利用诉讼时效规定进行抗辩或反驳，法官更不会在判决时主动援引诉讼时效的规定进行裁判。这就需要承包人在一审期间，主动提出诉讼时效抗辩。根据司法解释第四条的规定，如果承包人在一审期间未提出诉讼时效抗辩，而在二审期间提出的，人民法院一般不予支持。

四、基于一项工程项目的合同内约定的各项价款和合同外的追加工程价款是否属于司法解释第五条规定的"同一债务"和第十一条规定的"同一债权"？

司法解释第五条规定，当事人约定同一债务分期履行的，诉讼时效期间从最后一期履行期限届满之日起计算。

司法解释第十一条规定，权利人对同一债权中的部分债权主张权利，诉讼时效中断的效力及于剩余

债权，但权利人明确表示放弃剩余债权的情形除外。

在一份施工承包合同中，关于价款支付的约定往往分成多种情形或类别。比如，有履约保证金、预付款、工程进度款、工程变更费用、保修金、总包管理费、工程配合费等等，不同名称的款项并不表示它们一定属于或者一定不属于同一债务或同一债权。笔者认为，司法解释中有关"同一债务"或"同一债权"的界定，应该基于债务或债权所依据的法律关系的性质确定。比如，在同一份施工合同中，通常情况下预付款、工程进度款、工程变更费用、保修金、总包管理费、工程配合费构成施工合同中承包人一方完成承包工作所应获得的合同全部结算价款的一部分，尽管名称各不相同，但它们同属于施工承包法律关系中承包人工程施工合同价款这项"同一债权"（相对于发包人来讲是"同一债务"），而履约保证金则有所不同。首先，履约保证金不是承包人一方完成承包工作所应获得的合同全部结算价款的一部分；其次，履约保证金属于定金的一种，根据担保法的有关规定，定金合同条款属于实践性条款，即，只有约定提交履约保证金的一方实际提交了履约保证金，有关履约保证金的合同约束条款才按照该方提交的履约保证金的实际金额（可能与合同约定的金额不同）对合同双方产生法律约束力。换言之，如果合同约定了一方应提交履约保证金给另一方，但实际履行合同时，一方并未实际提交，或者未按合同约定的金额提交，则对合同另一方不能因此向对方主张未按约提交履约保证金的违约责任，也不能通过诉讼方式要求对方继续履行支付保证金。因此，施工合同中约定的履约保证金与预付款等合同价款不属于"同一债权"或"同一债务"。此外，合同约定的违约金、保险赔偿金或基于对方过错的其他索赔款项与合同约定的工程价款也不属于"同一债权"或"同一债务"。

实践中还经常发生一种情况，即，在一个工程项目的施工承包合同履行过程中，发包人要求、承包人也同意在原合同约定的工程范围之外，增加新的工程项目承包内容，那么，基于一项工程项目的合同内约定的各项价款和合同外的追加工程价款是否属于司法解释规定的"同一债务"或"同一债权"？笔者认为，应当根据具体情况具体分析。如果有证据表明，尽管发生了合同外的追加工程价款，但追加工程的价款计算、支付条件等已经在原合同中有原则规定，或者通过补充协议等类似的方式表明有关追加工程部分的约定属于原合同的从合同，或者约定追加工程价款计算、支付条件等参照原合同价款的计算、支付条件，则在原合同外的追加工程价款与合同内约定的各项工程价款应当属于司法解释规定的"同一债务"或"同一债权"。而如果对于追加工程的价款计算、支付条件等，双方通过相对独立于原合同的形式重新进行了约定，或者被追加的工程在工程建设行政审批、选择承包人的程序、施工条件、合同条件等方面相对于原合同范围内的工程项目具有明显的独立性，则在原合同外的追加工程价款与合同内约定的各项工程价款应当不属于司法解释规定的"同一债务"或"同一债权"。

五、按照施工合同约定对某些合同价款的支付期限不能确定时，承包人如何计算要求支付该等价款的诉讼时效？

就合同价款的支付而言，如果按照施工合同约定对某些合同价款的支付期限不能确定时，合同法和司法解释有如下规定：

合同法第六十一条规定，合同生效后，当事人就合同价款等内容没有约定或者约定不明，又不能达成补充协议的，按照交易习惯确定。

而合同法第六十二条又规定，按照合同法第六十一条的规定仍不能确定有关合同价款支付履行期限的，债权人可以随时要求履行，但应当给对方必要的准备时间。

司法解释第六条规定，未约定履行期限的合同，依照合同法第六十一条、第六十二条的规定，可以确定履行期限的，诉讼时效期间从履行期限届满之日起计算；不能确定履行期限的，诉讼时效期间从债权人要求债务人履行义务的宽限期届满之日起计算，但债务人在债权人第一次向其主张权利之时明确表示不履行义务的，诉讼时效期间从债务人明确表示不履行义务之日起计算。

因此，根据上述法律和司法解释的规定，承包人要求发包人支付该等未约定支付期限的追加价款的诉讼时效的起算时间按照下列顺序确定：

第一，交易习惯。如对于合同未约定的追加工程款的支付，按照建筑施工承包行业惯例，承包人应当在该追加工程完成后的合理时间内向发包人提出追加工程价款的要求，鉴于国家建设部和国家工商总局联合颁布的建筑施工合同示范文本中规定的竣工结算期限一般被认为是我国建设工程承包中有关合同工程量结算支付的行业惯例，如果没有其他证据证明，当事人曾经就合同未约定的追加工程款的支付期限进行过约定，那么上述示范合同文本中有关工程竣工结算的期限可以作为行业惯例参考适用于追加工程价款的结算支付。而示范合同文本中有关工程竣工结算的期限规定为，工程验收经发包人认可后28天内，承包人应向发包人递交完整的结算资料，发包人受到承包人竣工结算报告及结算资料后28天内无正当理由不支付工程竣工结算价款，从第29天起应当向承包人承担欠款利息并承担违约责任。因此，根据行业惯例，承包人要求发包人支付该等未约定支付期限的追加价款的诉讼时效的起算时间应当是，该追加工程完成并经发包人确认后的第29天。在实践中，如果双方并未单独就追加工程进行过确认，那么通常以包含追加工程在内的最早一次的局部工程查验（该查验须被发包人或者发包人委托的监理人认可）合格的时间或者工程最终竣工验收通过的时间(以时间在前者为准)作为发包人对追加工程进行确认的时间。

第二，承包人随时要求发包人履行支付的时间(包含发包人合理的支付准备时间)。如果承包人第一次要求发包人履行支付的时间没有给与发包人合理的准备期限，根据公平合理原则，计算发包人逾期付款的违约期限应当予以合理的减免。如上所述，仍以上述示范合同文本作为行业惯例，承包人首次提出要求发包人支付工程价款给与发包人的准备时间通常以不少于28天为合理期限。

第三，承包人随时要求发包人履行支付后，发包人明确表示不予支付之日。

此外，有必要注意的是，承包人向发包人提出支付未经合同明确约定的追加工程款等应付款项时，有义务向发包人提供要求支付款项的理由、计算依据等结算资料。因承包人未提供结算依据或者结算依据明显不充分等原因，造成发包人未能支付款项的，发包人不承担逾期付款的违约责任。

扩大内需：加快铁路、公路和机场等重大基础设施建设

重点建设一批客运专线、煤运通道项目和西部干线铁路，完善高速公路网，安排中西部干线机场和支线机场建设，加快城市电网改造。

国务院常务会提出，"扩大投资出手要快，出拳要重。"在此背景下，我国城市轨道交通建设也随之提速。目前已完成投资 1 000 亿元。

"未来七年，中国城市轨道交通建设投资规模约 6 000 亿元。"国务院发展研究中心产业经济研究部部长冯飞介绍说，根据国务院批准的第一批城市轨道交通项目规划，至 2015 年的规划线路长度是 2 400 公里，投资规模近 7 000 亿元，目前已完成了 1 000 亿元投资。

第一批得到国家批准建设轨道交通项目的有 15 个城市，包括北京、上海、天津、广州、南京、深圳、武汉、西安、重庆、成都、哈尔滨、长春、沈阳、杭州和苏州。目前，有的城市已接近完成，有些城市线网已开始修编，而修编的轨道交通线网线路长度通常会增加。

2007 年，又有南宁、宁波、无锡、大连、东莞、昆明、郑州、长沙、福州和贵阳 10 个城市在制定规划或报批之中。

"在目前扩大投资拉动经济的大背景下，第二批报批城市获得通过的可能性变大。"冯飞说，作为第二梯队的 10 个城市，多数是省会和计划单列市，城市经济和财政都比较好。

此外，还有合肥、青岛、济南、厦门、太原、大同和兰州等一批城市也在筹备轨道交通，筹备轨道交通的城市总计达到 40 多个。加上这些筹备建设的城市，中国轨道交通建设线路将达到 3400 公里以上。

干一项工程 树一座丰碑

——记北京市第二建筑工程有限责任公司总经理刘军

张炳栋

(北京二建有限责任公司，北京 100037)

刘军，1989 年毕业于南京建筑工程学院，大学本科，自 2000 年至今担任北京二建有限责任公司第二项目经理部经理（兼），2008 年任二建总经理。

十几年来，刘军同志以严于管理、锐意创新、敬业爱岗、拼搏进取的良好精神风貌、精益求精的施工质量、高效的施工进度，赢得了甲方、监理、业主和社会各界的认可与广泛好评，为企业创造了良好的经济效益和社会信誉。

严于管理、注重信誉、赢得市场

即将竣工的广电改扩建工程，高高伫立在西二环路西侧，施工过程中，其优异的工程质量和端庄的外形赢得了有关专家和过往行人的一致好评。工程施工过程中，刘军在严格执行 ISO9000 标准和"三合一"管理体系的基础上，严格按《项目管理办法》进行管理。他要求项目部每名员工都要熟练掌握本岗位的工艺流程、明确自己的岗位职责；在与工长交代任务时，他借用新闻界惯用的"五个 W"，即：多大量的活、安排多少人干、怎么干、干到什么程度、什么时间完，使工长对自身所承担的任务更直观明了，工作起来井井有条。施工中，刘军善于合理调配、周密组织，使各部位、各工种衔接严密、搭接有序。如木工班上午 10:30 支完顶板，他便安排钢筋班上午 11:00 之前吃完饭接替木工班，以缩短施工时间。"向管理要效益"，这是他常说的一句话，他从大处着手、小处着眼，为企业节约每一分钱。大到工程预算、材料的购买、外施队的选用，小到一钉、一木、一砖、一瓦的使用，都要求有专人管理、有专项管理制度。

在景苑一期住宅小区工地施工时，刘军通过对施工现场周边环境细致的考察，发现工程地处繁华地段，场地狭小，且极易发生施工扰民和民扰事件，这是影响施工顺利进行的重要因素。为使施工顺利进行，刘军组织项目部一班人，认真研究施工组织设计方案，把文明施工管理不扰民，安全防护等具体措施写进方案，并要求全体项目人员认真遵照执行，注意总结项目管理和思想工作经验，坚持做到"五到位"。即在布置工作时，思想发动到位；在组织施工管理中，岗位责任到位；在完成任务时，要考核检查到位；在兑现奖惩时，谈心疏导到位。由于坚持了制度到位，措施得力，工程施工没有受到不利客观因素影响，顺利实现按期竣工，并顺利通过了"结构长城杯"的两次验收，从而赢得了信誉，也赢得了源源不断的后续施工任务。自2000以来，刘军先后承揽并主持了风林绿洲公寓、景苑住宅小区、郑常庄新村、德外危改小学、广电总局招待所改建、小红门居住区、三元桥综合楼等十余项工程、42万余平方米的施工任务。

狠抓质量、重视环保、控制成本

2004年，针对德外小学工程结构形式复杂、基础标高多样性、地理位置显要等特点和困难，刘军组建了以科技攻关和保工期、保质量为主要任务的青年突击队。本着对教育事业负责、对孩子们高度负责的态度，他将原来设计为"结构优良"的质量目标，按结构"长城杯"进行管理和施工，并提出了"争创市文明工地"、"西城标杆工地"的目标。

由于工程地处二环路，又是项目部改制以来承接的第一个公建工程，社会各界和各级领导给予了广泛关注，刘军号召全体参战人员一定要打好施工的第一仗。开工之前，他积极组织大家对图纸进行深入的研究，根据现场实际，组织编制出了高质量的符合现场实际的施工方案，制定了切实有效的施工管理措施和质量保证措施，为实现目标提供了有力保障。在基础复杂的土方施工过程中，他天天住在工地，亲临现场指挥，确保了35 000m³土方在15d内按时施工完毕，得到甲方的好评，为工程开了好头。为进一步保证工程质量以及提高突击队自身的素质，他要求全面贯彻执行 GB/T 19001—2000 质量管理体系、GB/T 24001—1996 环境管理体系、GB/T 28001—2001 职业健康安全管理体系标准，以工作质量保证工序质量，以工序质量保证工程质量；在施工中加强技术管理，明确技术要求和质量标准，优化技术方案，大力推广科研新技术，增加了科技管理的含量，确保了工程质量和进度。施工中，他认真做好现场文明施工的硬件建设工作，现场实行硬化和绿化，并提出施工过程不见灰尘的目标，确保环保达标，使该工地成为花园式施工现场。在北京市组织的文明施工现场场容达标活动中，德外小学工地一次性通过验收。

在成本控制方面，刘军擅长通过把握工程造价、成本控制、生产经营、成本核算这四个环节。每一项工程施工，他都组织项目部的核算人员对工程造价进行认真分析研究，抓住主要环节作为成本的控制点，要求生产部门和采购人员严格把关。比如，机械费保本或略有盈余；材料费赢利的多少；人工费的亏损到多少比例；合理调整各个施工阶段工期；合理使用机械和材料；减少不必要的浪费等。通过以上控制点控制的工程，个个均有盈余。

以人为本、构建和谐、为人师表

刘军非常注重团队建设，以人为本，善于发现优才，加强培养。他要求项目部的职工，老职工做好言传身教，将自己的工作经验传给年轻人；中年职工要挑大梁；年轻职工要积极学习，快速提升，成为复合型人才。刘军知人善用，给青年人搭建成长平台，放手让他们施展才华。在人才培养方面，他坚持采取放手使用，宏观指导，个别帮助，定期考核等方法，使新参加工作的大中专毕业生能在较短的时间内达到能独立顶岗作业的水平。目前，第二项目部有11位中青年优秀人才担任了项目部副经理、主任工程师、技术负责人、工长等重要职务。

正是靠着良好的诚信意识、不断开拓的创新精神、严密的成本控制和先进的管理理念，刘军所负责的工程不但给公司带来了可观的经济效益，而且由于质量过硬，众多项目也赢得了政府和业界的好评和认可。⑥

非洲建筑工地上的故事

——厨师"鲁本"

大凉

　　在我的工地上，每天中午吃饭的时间是一个半小时，这是我们中国的作息时间习惯。在美国油田工作的工人就是中午一个小时吃完饭就上班。还有别的欧洲公司的工人就是中午三小时休息，下班在晚上七点，各有各的休息时间，五花八门的，就像是来这里淘金的人，全世界哪个国家的人都有，石油的吸引力就这么大。

　　以前，我的工人每天都是跑外边吃饭去，那儿不像我们中国的餐馆到处都

是，他们要走很远的路才能找到附近唯一的小饭馆吃饭。我工地上平时就有六十多工人去吃，每次他们吃完回来都是要晚半个多小时。虽然我嘴里边吓唬他们说扣除他们的工时，可是你不能不让人家吃饱饭呀，建筑工作这么累，吃不好怎么干活呀？为了增加工效，我一咬牙，决定也像美国石油公司一样，中午免费提供给工人午餐。工人们一听到这个消息都高兴得不得了，有的人平时见到我总是躲闪我的目光，只是一声礼貌

地问候。现在是看到我就张着嘴笑，不住地说："巴不罗木以比嗯"。我的名字是工人给起的爱称，叫"巴不罗"，就是导师的意思，"木以比嗯"就是非常好的意思。他们平时都叫我"海非"，就是老板的意思，叫这个显得我们之间有很大距离，不亲近。所以一叫我"巴不罗"就是明显的友好、亲近。我很喜欢听到叫这个名字的声音，因为，他们和我亲近了，工效也会大增(我这时说这个想法是不是觉得有点太功利了?)

工人鲁本以前是油工，我每次看他工作都替他着急，他是拼命想干好，可是水平太差了，连油工最起码的技法横刷竖盖都不懂，我轰他走了好几次，而且对非洲工头"巴比"说不能再看见他了，结果每次第二天他都是很执拗地再来，看见我就是傻笑，我是拿他真没办法。这么几次下来，心里边还是有点喜欢他了，他样子很憨厚。正好，需要一个厨师给大家做饭，我就问他会不会做。他还是和以前一样像是满口胡说，眼睛、嘴巴动得很夸张地说："从小就很会做饭。"我是不信了，以前说会油工时表情也是这样。不管怎么样能做熟就行了，而且他长得高大、很壮实、很有力气，一个人做几十人的饭一般人会累得够呛。

我这一招效果很好，工程进度加快了很多，吃饭花的钱远远低于早一天把房子盖好，租给美国石油公司挣来的钱。我心里边很得意被逼出的好主意，"怎么早没想到这样呀！"一天中午，巴比来找我，说鲁本和别人在工地上打架了。他脾气那么好怎么能打架呢？我心里有些纳闷儿。来到工地，我看见所有的工人都围着鲁本指责他，他站着比别人高一头，远处就能看见他，使劲地说着些什么，像是在争辩？我过去后大家都不说话了，鲁本看着我，一脸的委屈。原来是大伙说他做饭时总是先吃，饭做完了他吃饱了，大家干活不舒服了，叫他别这样他还不服气，说不尝怎么知道饭菜熟没熟？我一听心里就想笑了，因为我做饭也是这个毛病，我爱人和孩子总是说，你可别做大厨师，饭没做完菜没了。其实这就是做饭不自信的表现，我心里边明白了，看样子这鲁本也不怎么会做饭。我对大伙说："就这么点事，都别

说什么了，明天多做一些，鲁本能把饭做得你们爱吃就不错了。"大家也都明白，再多说什么，我一生气，也许中午就不给免费午餐了。

工程稳中有快地进行，我心里边很是舒服，这一天巴比又来找我，他说鲁本要辞职了，问能不能把工资算一下结给他？我一听心里边不由有些怒火，这怒火是对大家的，鲁本这么老实，准是被欺负走的。我有点舍不得这个鲁本走，他憨厚得很可爱。鲁本和我道别时，他没有埋怨别人，只说老家有事要他回去。他是来自山区的农民，我只知道他们国家的总统也是他们老家的人。他很感激我，对我说，我是他心目中的"巴不罗"，聪明、善良、勇敢。说真的，我一个人在非洲那儿做这么多事，工人们是从心里边都很佩服我的，真是一个中国人不远万里，为了非洲人民的房地产事业努力地工作呀。

一天，工地上来了辆警车，巴比告诉我，总统的弟弟听好多人夸我们的房子盖得好，就想来看看。他是这个国家的安全局长，这是他的警卫官提前来和我商量。我听了之后当然很得意，也非常欢迎。中国人盖的房在非洲最有名，这和我们一直援助非洲建设有关。我去过很多的非洲国家，无论到哪儿都有我们援建的电话局、医院、水电站、体育场和公路。在异国他乡，熟悉的建筑风格让人感到很亲近。安全局长是个很和蔼的老头，他对我说他以前是瓦工，他的哥哥做了总统他也就做了官，主要还是为了保护他哥哥的安全，他还是喜爱干建筑，常常回忆年轻时做瓦工的辛苦和快乐。他对我说，他们那时也跟中国建筑师傅做过活，好多非洲建工技术都是从我们中国师傅这儿学来的。他的到来使我感到很温暖，心里边也很自豪。但是，还让我感到意想不到的自豪是鲁本，原来他回老家后就被安全局长录取做总统的警卫了，他一下很有出息了，为他高兴！他随局长来看我，还是一见面就傻呵呵地憨笑，有一个特大的变化就是走路的动作。他们走后，工人对我说："巴不罗，你知道鲁本走路支着胳膊、叉着腿是什么意思吗？"我说："当然懂了，用我们北京话来说这叫犯狂，就是'佛勒得'"。工人们说："真没想到他能'佛勒得'"。⑤

项目计划管理快速入门
及 项目管理软件
MS Project 实战运用(二)

◆ 马睿炫

(阿克工程公司，北京 100007)

二、输入工期

制定计划的第二步是输入工期，也就是给每项任务输入合适的工期。请注意，输入工期只是针对最低层次的子任务，而汇总任务的工期则不需要输入，因为上一层次任务的工期是由它的下一级子项任务所决定的，上一层次任务的开始时间是由它的最早开始的子项任务所决定的，而上一层次任务的结束时间则是由它的最晚结束的子项任务所决定的。比如在举例的工厂计划中，在施工阶段，土建基础的工期，只需要针对最低子项任务——垫层、钢筋、模板、混凝土——输入相对应的工期就行了。也就是说，对于黑字体的任务，不必输入它的工期，它们的工期是由它们最低层的子项任务所决定的。

输入工期是制定计划的一个重要环节，因为工期输入得是否合理直接决定整个计划的工期是否合理、科学。一个很有经验的计划工程师制定出来的计划肯定要比缺少实际经验的计划工程师制定出来的计划更有条理，更符合实际，对计划的各项工作更具指导性。

当然我们不能指望所有的计划工程师都有丰富的实践经验，通晓所有的设计、采购、施工程序，因此要想得到合理工期的相关信息，必须借助外力，通常会有以下两种方法：

(1)向有经验的工程师请教。比如设计方面的任务工期可以向各个专业的设计工程师请教，采购工期可以请教采购工程师，而施工方面则向现场工程师请教。

(2)利用以往项目的历史资料进行模拟估算。比如同等规模、同样结构的项目很容易估算出相同的工期。即使一些不相同的项目采取模拟的方式也是很容易估计一些子项任务的工期的，而且分得越细，估计越容易。比如绑钢筋的时间、支模板的时间以及打混凝土的时间。

有了以上估计的合理工期，我们就可以往项目计划中输入了。

现在我们回到 MS Project 主界面 Gantt Chart (甘特图) 中，选定 Duration(工期)栏，对应最低层次的子项任务逐一输入工期即可。不过输入工期有几个需要注意的地方：

1.工期的单位

工期可以是天、周、月甚至分钟，软件通常以 Day(天数)作为默认设置，我们也可以根据具体情况予以调整，具体方法是：

a.在菜单栏选择 Tool (工具) 命令，待子菜单弹出，选择 Options (选项)子命令，则弹出一个选项集，在该集中点击 Schedule (计划) 子页，则出现图2-1的画面。

b.在该子页，找到 Duration is entered in (在此输入工期)所对应的下拉菜单，任意选择你是想以月输入还是周输入，当然大部分时候我们还是使用天数，所以通常我们不会改变这一默认设置，除非我们的项目很大，工期的最小单位只能使用周，那么我们会知道在何处改它。

c.如果我们觉得在 Duration(工期)栏中 Day 字数过多,想简化成 d,以节省栏目的宽度,那么也是在这一选项集中,点击 Edit(编辑)子页,然后在 Days 行中对应的下拉菜单中选择 d 即可。

d. 图 2-1 中所显示的选项集(Options)是一个非常重要的设置工具,很多基本的设置都可以在此更改以满足使用者的特殊要求。大家可以多看看,多尝试,以后我们还会用到,以作一些重要的修改。

2.工作日历的设置

工作日历的设置与项目工期息息相关。因为工期内输入的时间都是工作时间,因此一周工作五天或一周工作六天对于整个项目的日历完成天数是不一样的。还有节假日的影响,比如春节期间安排工作对于建筑行业来说显然是不合适的。因此有效工作时间就必须将这些非工作日剔除,以反映真正的工作时间。这里还有创建新日历的要求,MS Project 所使用的日历是标准日历,而标准日历是软件默认设置的,比如每周工作五天,每天工作八小时。但对于建筑行业,尤其是施工现场,一周五天工作显然是不可能的,但一周工作七天也是不现实的,毕竟还要考虑下雨天,因此一周工作六天是比较合适的。所有我们要为施工设定一周六天的工作日历。

现在我们回到工厂计划的主界面中,从以上所有的示例图来看,在右边的时间刻度位置上,时间刻度是按天数,显示则是从星期一到星期日(Monday-Sunday),请大家注意,在两个 S(Saturday, Sunday)的下方各有一道灰线表示非工作日。现在我们要把星期六改成工作日,创建一个一周六天工作制的新日历,具体做法如下:

a.在菜单栏选择 Tool(工具)命令,待子菜单弹

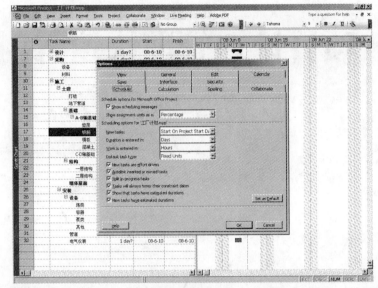

图 2-1

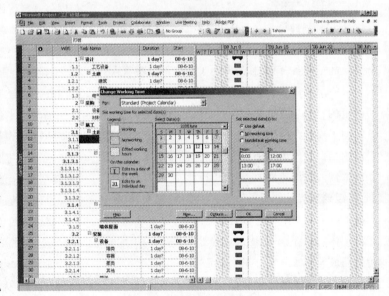

图 2-2

出,选择 Change Working Time(改变工作时间)子命令,则弹出一个改变时间对话框。详见图 2-2。

b.点击下部 New(新建)按钮,又弹出一个小对话框,详见图 2-3。

c.移动光标至 Name(姓名),将新日历名称改为六天工作制,下面默认选项 Make a copy of standard calendar(拷贝标准日历)保持不变,然后点击 OK。

d.移动光标至日历框 S(周六)上,点击,则该月全部属于周六的日期都被选中并变成黑色,然后在右侧 Set selected date(s) to(设置选择日期至)区

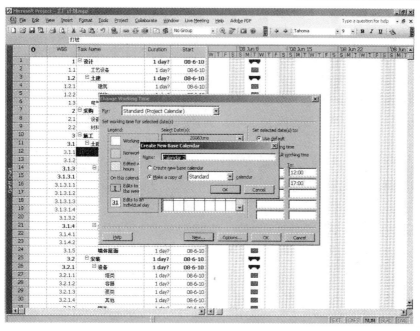

图 2-3

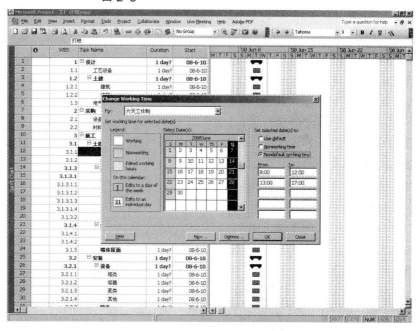

图 2-4

域中点击 Nondefault working time （非默认设置工作时间），最后点击 OK。详见图 2-4。

e.完成此操作后，如果所有的任务都使用六天工作制日历，我们会发现在右侧的时间刻度上，只剩下一个 S(周日)对应着一道灰色线了。

3.节假日的设置

由于五天工作日改为六天工作日，计划可利用的时间相应增多了,也就是说过去一个月有 20 天工作日,那么现在就可以安排 25 天的工作日。但是,我们也应该考虑节假日对计划工期的影响。比如设置 2009 年春节休息日,具体操作如下:

a.在菜单栏选择 Tool (工具) 命令,待子菜单弹出,选择 Change Working Time (改变工作时间)子命令,则弹出改变时间对话框。

b.在对话框的最上面 for（为）框内，使用下拉菜单将标准日历改为六天工作制日历。

c.将日历框中的月份数翻至 2009 年 1 月。由于春节假期从 1 月 25 日开始，按照惯例，施工现场放假至少半个月，即 1 月 25 日至 2 月 8 日为休息日，因此首先在 2009 年 1 月日历上拖动鼠标选择从 26 日至 31 日，然后选择右侧的 Set selected date（s）to（设置选择日期至）区域，点击下面的 Nonworking time（非工作时间），则以上时间都变成灰色的休息日了。如法炮制，再将 2 月份的 2~7 日变成非工作时间。这样一来，在这段期间内，计划是无法安排任何工作的，因为大家都休息了。

4.新日历的使用

通过以上修改，则六天工作制日历含有春节休息半个月的规定，这个日历是适合现场施工的特点的，因此在我们的计划当中，应将所有施工工作由标准日历改为六天工作制，其他设计、采购工作保持不变。修改所用日历的方法如下：

a.拖动鼠标，将属于施工层面的所有子项任务选上，为了方便，可以一次多选。

b.在菜单栏选择 Project（项目）命令，待子菜单弹出，选择 Task Information（任务信息）子命令，则弹出 Multiple task information（多重任务信息）对话框。我们也可以在工具栏上直接点击任务信息图标。

c.在对话框中，选择 Advanced（高级）子页，如图 2-5 所示。

d.在 Calendar（日历）所对应的框中，使用下拉菜单选择六天工作制；然后点击 OK。

请注意，在计划的主界面最右方的显示栏（?）中，对应使用六天工作制的任务出现了图标，表示使用了新日历，详见图 2-6。

当工期的单位和工作日历确定之后，我们就可以逐一输入各项任务的工期了。将光标移至 Duration（工期）栏内，对应各个任务输入你所认为合适的工期，请注意只针对最低层次的子任务输入工期即可。另外我们会发现当光标移至工期栏的单元内时，会出现上下两个小箭头让你对天数进行微调，很可爱快捷的设计，这样当我们输入一个整数比如 30 天时，可以非常方便地加减天数。还有就是 days（天数）字母太多，我们可以按照上面曾经说过的方法改为缩写 d 代替。经过输入工期天数，工厂计划主界面详见图 2-7。

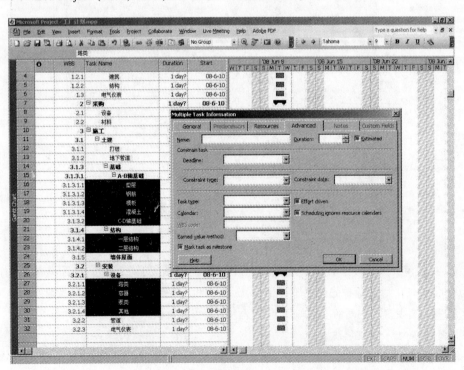

图 2-5

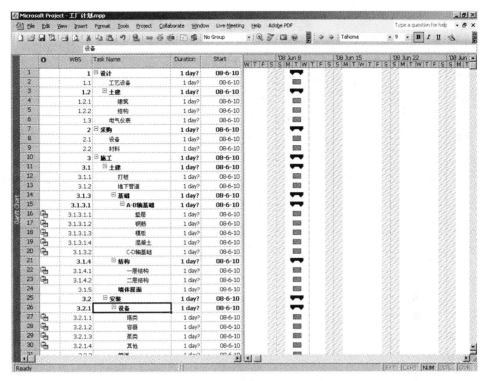

图 2-6

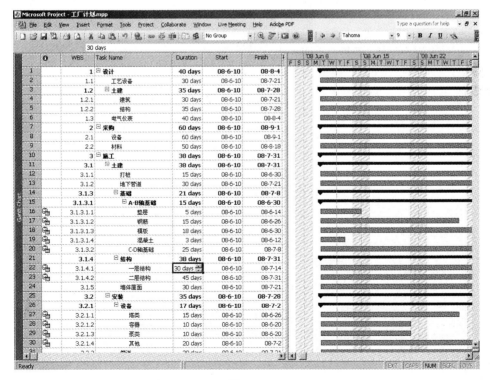

图 2-7

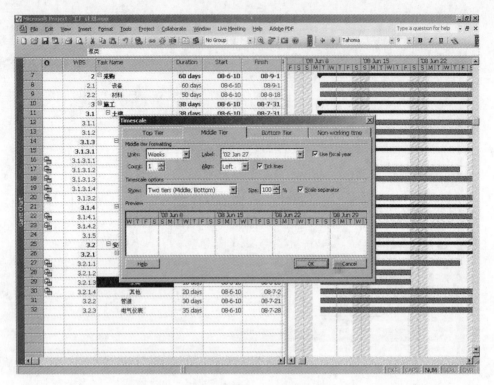

图 2-8

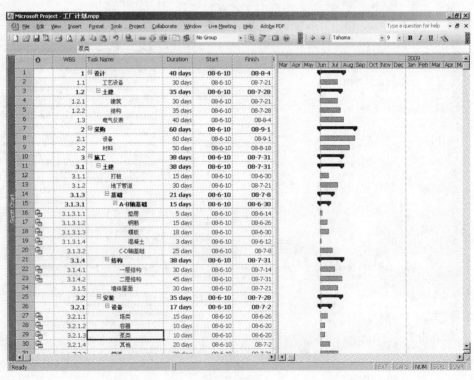

图 2-9

5.确定时间刻度

我相信当大家看到以上输入任务工期后的计划主界面 Gantt Chart 时，一定会感到奇怪，觉得哪个地方有点不对头，和我们平时所看到的计划不一样，右边的横道图内代表各任务的横道过长，这个原因与右侧时间刻度的设置有关。MS Project 对右侧时间刻度的默认设置是：最上层无设置，中层设置为周，下层设置为日，显然这对于完成一个项目而言，设置的时间刻度过小，至少我们应该调整为中层设置为年，下层设置为月，具体做法如下：

a.在菜单栏选择 Format (格式) 命令，待子菜单弹出，选择 Timescale (时间刻度) 子命令，则弹出时间刻度对话框，如图 2-8 所示，我们也可以将光标移至右侧的时间刻度上双击左键直接弹出对话框。

b.选择 Middle Tier (中间层) 子页，在下面 Unit (单位) 框内通过下拉菜单选择 Years (年)。

c.选择 Bottom Tier (下层) 子页，在下面 Unit (单位) 框内通过下拉菜单选择 Months (月)。

d.点击 OK。新界面出现，如图 2-9 所示，现在我们看到的横道图与时间刻度以及左边的文字部分相比显得合适多了，整个界面显得简洁、整齐。

三、建立各个任务间的逻辑关系

我们知道在一个项目当中，无论任务还是工序，很少有独立存在的，不与其他任务或工序发生任何关系的任务或工序几乎没有，它们或多或少总存在各式各样的联系。比如在以上工厂计划当中，基础下面的几道工序——垫层、钢筋、模板、混凝土——就是一个典型的流水工序，建立它们之间的关系很简单，方法如下：

a.拖动鼠标，将四道工序全部选上。

b.点击工具栏上的链接图标，如图 3-1 所示，也可以选择菜单 Edit (编辑) 内的 Link

Tasks (链接任务) 子命令进行。

当以上操作完成后，出现新的界面如图 3-2 所示，在该图中，我们会发现，在横道图部分，对应以上所说的各道工序的横道已经被链接线所连接。其次，在 Predecessors (前道工序) 栏中出现了代表任务行的工序号，因此我们很容易知道它的前道工序是哪一项。但是，在此需要说明的是通过以上操作所建立的联系仅仅是最普通、最常见的完成–开始关系，即前道工序完成后下道工序才开始的关系，它是由软件默认设置的。而事实上各任务或工序之间的关系还有另外四种，我们可以用以下方法看出：

a.将光标移至两个任务所对应的横道之间的链接线上。

b.双击鼠标左键，则弹出一对话框–任务依存关系框。

c.点击关系类型下拉菜单，则全部关系显示出来，如图 3-3 所示，它们分别是：

● Finish – to – Start (FS) (完成–开始)

● Start – to Start (SS) (开始 –开始)

● Finish – to Finish (FF) (完成 – 完成)

● Start – to Finish (SF) (开始 –完成)

● None (无)

以上五种关系对于从事工程管理的人员来说不

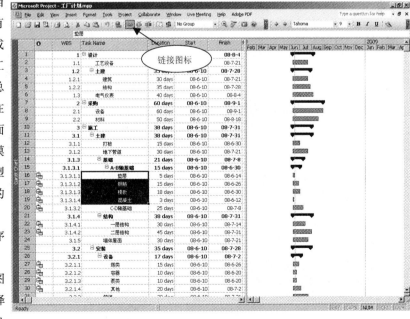

图 3-1

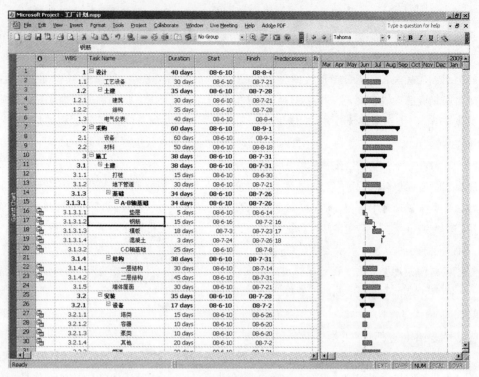

图 3-2

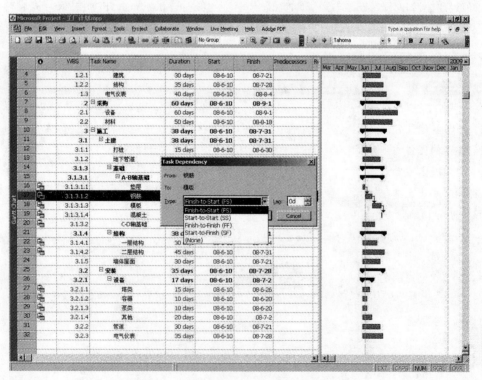

图 3-3

难理解和体会，在此我就不再一一解释和说明，但必须强调的是，前两种关系即 FS(完成-开始)和 SS(开始-开始)是经常使用的关系，后两种用得较少。另外，我们还要解释一下对话框中右边 lag(滞后) 的概念，比如基础混凝土打完后需要养护半个月才能在上面安装设备，那么在打混凝土和安装设备之间，尽管它们是 FS(完成-开始)的关系，但我们需要在 lag (滞后) 栏内加入 15 天以确保半个月的养护期。如果两道工序之间虽然是 FS(完成-开始)的关系，但它们可以进行交叉施工，比如绑钢筋不必等到所有的基础钢筋都完成后才能支模板，事实上当部分基础完成绑扎钢筋之后，后道工序支模板就可以跟进了，因此在任务关系的对话框中，在 lag (滞后) 栏内加入 -10 天就可以实现适度的交叉施工了。

对于某些拥有 SS(开始 -开始)关系的任务，也可以使用 lag (滞后) 功能更准确地反映各道工序的开工时间。比如以上工厂计划中 A-B 轴基础的垫层开始施工之后，不必非得等到该轴基础全部垫层完成后才能施工 C-D 轴的基础垫层，我们完全可以将它们安排成 SS (开始-开始)的关系，即同时开始施工。但考虑到劳动力的合理安排，可以是 A-B 轴基础垫层开始施工之后三天，C-D 轴基础垫层开始施工，即它们之间的关系成了 SS+3d，我们可以从 Predecessors (前道工序) 栏中看到这一设置的显示。具体操作如下：

a.将光标移至 A-B 轴基础垫层工序上并选中。

b.按 Ctrl 键再点击 C-D 轴基础垫层工序。

c.点击工具栏上的链接图标。

d.待出现链接线后，双击链接线，弹出任务关系对话框。

e.由于软件默认设置任务间的关系为 FS(完成-开始)，因此我们将其改为 SS(开始-开始)的关系。

f.在 lag (滞后) 栏内加入 三天以示前道垫层开工后三天，该道工序开始。见图 3-4。

通过以上方法，我们将所有的任务或工序都建立起合适的逻辑关系，然后确定项目的开始时间。具体方法如下：

a.在菜单栏选择 Project (项目) 命令，待子菜单弹出，选择 Project Information (项目信息)子命令，则弹出项目信息对话框。

b.在对话框内选择 Start date (开始日期) 框内的下拉日历，点击 6 月 20 日，如图 3-5 所示。

c.点击 OK。

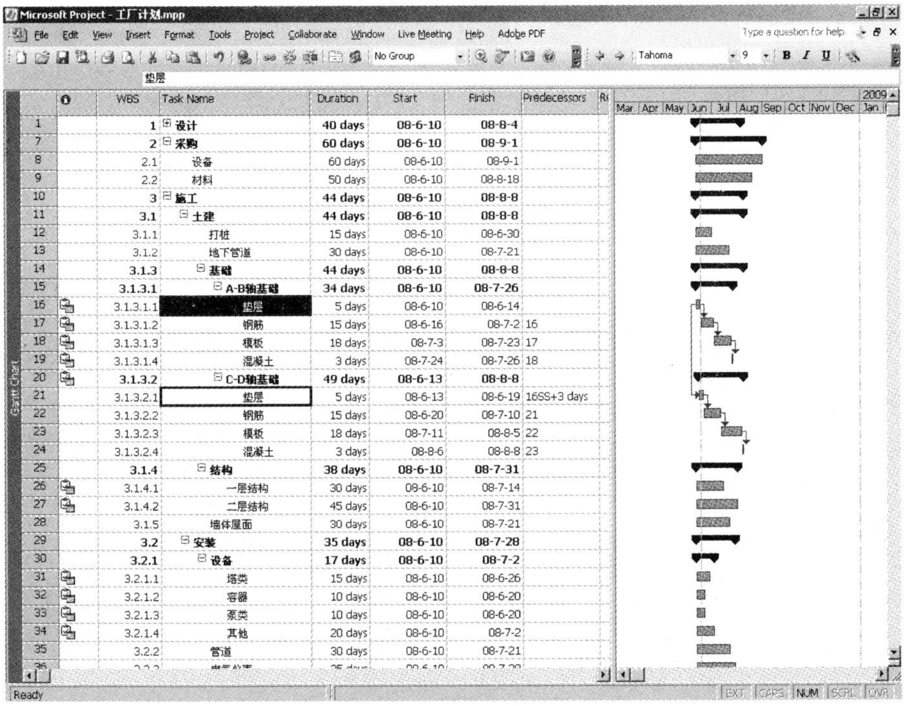

	WBS	Task Name	Duration	Start	Finish	Predecessors
1	1	设计	40 days	08-6-10	08-8-4	
7	2	采购	60 days	08-6-10	08-9-1	
8	2.1	设备	60 days	08-6-10	08-9-1	
9	2.2	材料	50 days	08-6-10	08-8-18	
10	3	施工	44 days	08-6-10	08-8-8	
11	3.1	土建	44 days	08-6-10	08-8-8	
12	3.1.1	打桩	15 days	08-6-10	08-6-30	
13	3.1.2	地下管道	30 days	08-6-10	08-7-21	
14	3.1.3	基础	44 days	08-6-10	08-8-8	
15	3.1.3.1	A-B轴基础	34 days	08-6-10	08-7-26	
16	3.1.3.1.1	垫层	5 days	08-6-10	08-6-14	
17	3.1.3.1.2	钢筋	15 days	08-6-16	08-7-2	16
18	3.1.3.1.3	模板	18 days	08-7-3	08-7-23	17
19	3.1.3.1.4	混凝土	3 days	08-7-24	08-7-26	18
20	3.1.3.2	C-D轴基础	49 days	08-6-13	08-8-8	
21	3.1.3.2.1	垫层	5 days	08-6-13	08-6-19	16SS+3 days
22	3.1.3.2.2	钢筋	15 days	08-6-20	08-7-10	21
23	3.1.3.2.3	模板	18 days	08-7-11	08-8-5	22
24	3.1.3.2.4	混凝土	3 days	08-8-6	08-8-8	23
25	3.1.4	结构	38 days	08-6-10	08-7-31	
26	3.1.4.1	一层结构	30 days	08-6-10	08-7-14	
27	3.1.4.2	二层结构	45 days	08-6-10	08-7-31	
28	3.1.5	墙体屋面	30 days	08-6-10	08-7-21	
29	3.2	安装	35 days	08-6-10	08-7-28	
30	3.2.1	设备	17 days	08-6-10	08-7-2	
31	3.2.1.1	塔类	15 days	08-6-10	08-6-26	
32	3.2.1.2	容器	10 days	08-6-10	08-6-20	
33	3.2.1.3	泵类	10 days	08-6-10	08-6-20	
34	3.2.1.4	其他	20 days	08-6-10	08-7-2	
35	3.2.2	管道	30 days	08-6-10	08-7-21	

图 3-4

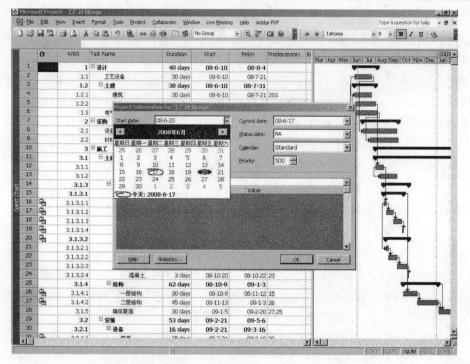

图 3—5

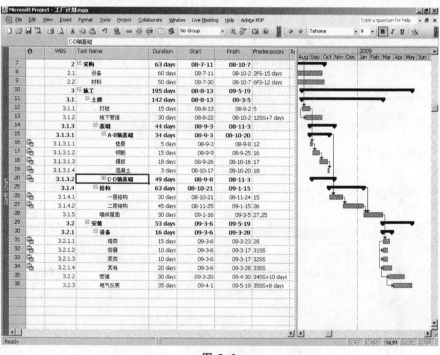

图 3—6

当我们完成以上操作后,我们会发现整个横道图都向右移动了一点,而项目最早开始的时间就是从6月20日开始,最晚完成时间则是2009年5月19日。这个时间就是项目最终的计算完成工期。详见图3—6。

到现在为止,制定计划的前三步已经完成,我们的计划—工厂计划已初见雏形,而下一步也就是制定计划的最后一步即对该计划进行优化,以最终完成该计划的制定。⑥

施工组织设计与施工方案的"催化剂"更新出版

——《施工组织设计范例50篇》(第二版)与《施工方案范例50篇》(第二版)隆重推出

《施工组织设计范例50篇》已经出版四年多了，在其出版后我们还推出了《施工方案范例50篇》，这两本书一直得到读者们的关注，并在广大建设工程领域的施工管理和技术人员中广泛使用，受到大家的厚爱，这是原创人员们最希望看到的情景。经过这么长时间的观念更新，由大家不愿意将施组和方案贡献出来，到现在有更多施组和方案在交流，这对于我国的施工管理和技术有很大的促动作用。正如住房和城乡建设部原总工姚兵先生所期望的：让全国的施工企业及其他建设行业类企业的技术和管理的交流进一步扩大、加速，减少企业在低端上的重复劳动，把更多的精力投入到新的工艺、工法的研发和推广上来，在项目管理的实施上多利用一些已有的先进管理方法和技巧。目前应该说姚兵先生所期望的现象已经出现，编写施组和方案对于参阅本书的一般企业已经不是问题。随着技术的发展，更多的新工艺、工法推出，第一版已经不能适应更广泛的需求，经筑龙网和编著者们努力，根据大家的需求，我们现推出《施工组织设计范例50篇》(第二版)，内容上全部为最新的施工组织设计，光盘文字上也大大增加。另外，为了大家更加便利地使用，我们还通过网络增值服务的方式，将施工组织设计以 Word 版格式提供给购买正版书的读者，让大家可以直接修改利用，比 PDF 格式使用更加便利。

在我们推出《施工组织设计范例50篇》(第二版)的同时，我们还推出了《施工方案范例50篇》(第二版)，其实那里面除了原有的50篇施工方案，还另外增加了新的50篇施工方案，也就是说一共100篇

施工方案。

这两本书的第二版内容增加，服务增加，但是价格没有改变，希望大家继续关爱这两本书，也希望这两本书能为企业和个人的技术和管理积累发挥更多的作用。

《施工组织设计范例50篇》(第二版) 定价:88元(含光盘和网络增值)；征订号:16914。

《施工方案范例50篇》(第二版)定价:88元(含光盘和网络增值)；征订号:16573。

新书介绍

《BOT 项目运作与管理实务》

著译者：王喜军等

随着我国经济的快速发展,基础设施建设的速度和规模进一步加大。BOT 作为一种新型的融资和建设模式,展现出巨大的生命力,对缓解公共财政压力,吸引外资、国有和民营资本进入基础设施建设起到了重要作用。

运作 BOT 项目,可变因素多,程序复杂,风险管理难度大,迫切需要科学的理论和方法加以指导。近年来,国内一些大型建筑企业积极地向建筑产业链上游领域延伸,探索 BOT 等新型建设管理模式的运用,积累了许多宝贵的经验,值得总结和提升。本书即针对目前我国 BOT 项目运作中缺乏实用的管理标准和工作指南的现状,依托平正高速公路 BOT 项目,将理论与实践经验进行了系统地总结。全书共分上、中、下三篇:

• 上篇–基础知识篇,以 BOT 项目运作的核心问题为主线,系统地介绍 BOT 项目的系统架构、合同框架、运作程序、投资机会分析、风险管理、融资结构、特许权协议及项目运作的关键问题;

• 中篇–工程实践篇,以 BOT 项目生命周期为主线,总结了平正高速公路 BOT 项目前期开发、实施筹备、建设实施及运营管理的成功经验;

• 下篇–管理制度篇, 介绍与 BOT 项目运作管理相关的政府文件、项目公司管理制度与运营管理制度等内容。

全书除了对 BOT 项目运作与管理的理论知识和实践经验进行总结和升华外,还为读者提供了特许权协议示例、项目公司管理制度、运营管理制度等文件资料,方便读者在实际工作中运用和参考。

本书既有理论的系统性和前沿性,更有实务运作的指导性,可作为政府、投资机构、法律、工程等业界有关人员运作 BOT 项目的实务参考书,也可供高等学校工程管理、投资等专业学生参考。

《BOT 项目运作与管理实务》定价:58 元;征订号:14138。

《重点建设工程施工技术与管理创新2》

继 2007 年推出《重点建设工程施工技术与管理创新》后,受到了读者的欢迎,今年继续推出《重点建设工程施工技术与管理创新2》。全书共 34 篇文章,每一篇文章都是建筑企业施工及管理人员实践经验的总结,这些文章从不同角度反映了当今一些重点工程建设中的创新成果,蕴含着许多独创的先进技术与管理经验。

全书共分两大部分:第一部分为技术创新篇,包括:结构工程、钢结构工程、屋盖(屋面)工程、其他工程、改扩建工程等五方面,分别对俄罗斯联邦大厦、国家游泳中心、温州世贸中心大厦、沈阳奥林匹克体育场等工程的施工技术创新及经验进行了总结;第二部分为管理创新篇,主要从总承包管理、工程成本管理、施工安全管理、阳光工程建设、其他管理以及房地产开发六个方面对这些重点建设工程的管理方法与成功经验进行了总结与提升。相信本书的出版一定能为广大施工技术人员及管理人员提供有价值的借鉴与启发。

《重点建设工程施工技术与管理创新2》定价:40 元;征订号 17167。

❄❄ 综合信息 ❄❄

第二届香港中国国际服务贸易洽谈会建筑服务领域分论坛召开

为进一步加强内地和香港在服务贸易领域的合作，扩大双方的技术交流，增进双方企业间相互了解，由中华人民共和国商务部、香港贸易发展局联合主办的"第二届香港中国国际服务贸易洽谈会"于2008年11月10至11日在香港会议展览中心举行。商务部部长助理王超先生、中央政府驻香港联络办公室副主任郭莉女士、香港特别行政区商务及经济发展局局长刘吴惠兰女士、香港贸易发展局总裁林天福先生，以及住房和城乡建设部、商务部等主管行政官员，中国建筑业协会、香港建造商会等有关专业协会、商会人士，大陆与香港企业代表共计500余人参加了会议。

在开幕式上，商务部部长助理王超先生和香港特别行政区商务及经济发展局局长刘吴惠兰女士以及香港贸易发展局总裁林天福先生发表了热情洋溢的讲话。王超先生在致辞中说，回归十一年来，香港和内地经济合作全面发展，互动交流日益繁荣。"一国两制"的成功实践和内地的迅速发展为香港经济发展提供着源源不断的动力，内地对香港经济发展的依托作用也日益增强，特别是以CEPA（中国内地与香港更紧密经贸合作）及其各补充协议的签署为标志，内地和香港的经济融合已经成为不可阻挡和不可逆转的大势。中央政府仍将一如既往地积极推动双方服务贸易领域的全面合作；刘吴惠兰女士和林天福先生也都表达了香港经济的发展离不开大陆的支持，同时香港与内地在服务贸易领域的全面合作，也促进了双方的经济繁荣，并表示要推动合作创造商机，提升服务促进繁荣。

洽谈会同期还举行了"中国服务贸易指南网"和"香港贸发网"合作协议签字仪式，以及包括建筑服务、中医药服务贸易、会计服务、文化贸易、工业设计、服务外包等领域在内的七个分论坛。

香港建造商会会长黄天祥先生在服务贸易发展主论坛上发表了题为"内港两地建造业合作开拓海外市场的机遇与挑战"的演讲，在建筑服务领域合作分论坛上又进一步阐述了香港与内地建造业如何优势互补，联手合作共同开拓海外市场。他在报告中说到，海外市场特别是中东、南非等地建筑规模庞大，今年的10月份香港和广东等十几家建筑企业到中东考察，受到当地业主的热烈欢迎，因为当地的承包商已经无法满足当地建设需求，业主渴望国外承包商进入本国市场。市场需求有了，那么内港企业合作的可能性有吗？答案是肯定的。因为内港企业如果不合作，在海外市场上就会成为竞争对手，双方合作便会优势互补。内地企业有着较低的运作成本，优质而廉价的劳动力资源与管理，机械配套支持水平高，建材网络资源丰富；而香港企业则有着丰富的国际经验，香港本身就是一个品牌，在香港的弹丸之地上耸立着众多著名的由本港企业建设的高楼大厦，代表着香港建筑施工管理水平非常高，较好的英文基础、英式标准的采用，开放的国际化管理，使得香港施工管理人才更适应海外建筑市场。因此，内港两地企业合作后优势不会消失，反而优势会迭加，竞争力会更加强大。内港两地企业合作会是三赢方案：内地企业、香港企业和海内外业主都会同时获得自己一方的利益，合作前景大为广阔。但黄天祥先生也谈到在合作中会遇到挑战，会面临许多困难，诸如海外市场的法律法规，当地社会文化引发的阻力，人权、态度、价值观、地方保护主义等等，以及内港与海外、内地与香港在生活环境及社会文化的差异都会给内港两地企业的合作带来多多少少的阻力。内港两地企业如何能够合作成功？黄天祥先生建议双方要更加注意以下几个问题：双方是否有共同文化相同理念、愿意同甘共苦？对顾客的态度？对员工的福利分配？对风险的看法？对企业的发展步伐？利润分成比例？亏损的承担能力？面对问题时是否有足够的坦诚？只有双方充分考虑到这些问题，成功合作的机会才会更大更多一些。

此外，住房和城乡建设部建筑市场管理司的主管官员介绍了内地建筑企业进军海外市场的基本条件及相关法律；中国建筑国际集团有限公司等六家香港和内地企业代表分别就借助战略联盟开展国际工程承包议题和国际工程合约管理的经验分享议题进行了专题演讲。

2008年是中国改革开放30周年,与改革开放同步,中国建筑业也取得了令人瞩目的辉煌成就,越来越多的内地大型建筑企业进入国际最大承包商之列,这其中香港发挥着不可替代的作为内地对外开放的重要窗口和平台的作用。香港拥有较成熟市场制度、较高的经济开放度和自由度,其服务贸易在世界服务贸易体系中有着自己独特的位置。内地建筑企业从香港学到了符合国际标准的先进经营和管理方式,为中国建筑企业进入世界建筑市场奠定了基础。

特别是2003年CEPA(中国内地与香港更紧密经贸合作)的正式签署,给香港和大陆都带来令人鼓舞的经济效益。目前全球正在经受着由美国次贷问题所触发的金融风暴,在这样的大背景下召开本次论坛,商讨共同关心的话题,对加强两地建筑企业的合作,加速香港和大陆经济的融合,将起到非常重要的推动作用。相信两地双方不断地努力,积极加强交流与合作,共同应对世界经济新挑战,两地双方定会实现经济全球化时代的新发展。

中国经济形势分析与预测——2008年秋季报告

由中国社科院经济学部主办的"中国经济形势分析与预测2008年秋季座谈会"10月11日在北京举行。

中国社会科学院经济学部《中国经济形势分析与预测》课题组向会议提交了中国经济形势分析与预测——2008年秋季报告。报告在模型模拟与实证分析相结合的基础上,预测和分析2008年2009年我国经济发展的趋势和问题。

2008年和2009年主要国民经济指标预测结果如下:

	2008年	2009年
1.总量及产业指标		
GDP增长率	10.1%	9.5%
第一产业增加值增长率	3.5%	3.5%
第二产业增加值增长率	11.5%	10.8%
其中:重工业	12.3%	11.5%
轻工业	10.4%	10.1%
第三产业增加值增长率	10.7%	10.3%
2.全社会固定资产投资		
总投资规模	173790亿元	210870亿元
名义增长率	26.6%	21.3%
实际增长率	15.8%	14.5%
投资率	58.9%	61.7%
3.价格		
商品零售价格指数上涨率	6.0%	4.0%
居民消费价格指数上涨率	6.5%	4.5%
投资品价格指数上涨率	9.4%	5.9%
GDP平减指数	7.4%	5.7%
4.居民收入与消费		
城镇居民实际人均可支配收入增长率	8.3%	8.1%
农村居民实际人均纯收入增长率	7.6%	7.2%
5.消费品市场		
社会消费品零售总额	106660亿元	124820亿元
名义增长率	19.6%	17.0%
实际增长率	12.8%	12.5%
6.财政		
财政收入	65370亿元	81490亿元
增长率	27.4%	24.6%
财政支出	65770亿元	81880亿元
增长率	32.7%	24.5%
7.金融		
居民存款余额	197550亿元	226260亿元
增长率	14.5%	14.5%
新增货币发行	3830亿元	4450亿元
新增贷款	40140亿元	44770亿元
贷款余额	301830亿元	346600亿元
贷款余额增长率	15.3%	14.8%
8.对外贸易		
进口总额	12430亿美元	15660亿美元
增长率	30.0%	26.0%
出口总额	14940亿美元	18090亿美元
增长率	22.6%	21.1%
外贸顺差	2510亿美元	2430亿美元